# PROFISSIONAL
## DE ALTA PERFORMANCE

Copyright© 2019 by Literare Books International.
Todos os direitos desta edição são reservados
à Literare Books International.

**Presidente:**
Mauricio Sita

**Vice-presidente:**
Alessandra Ksenhuck

**Capa e diagramação:**
Gabriel Uchima

**Revisão:**
Rodrigo Rainho

**Diretora de projetos:**
Gleide Santos

**Diretora de operações:**
Alessandra Ksenhuck

**Diretora executiva:**
Julyana Rosa

**Relacionamento com o cliente:**
Claudia Pires

**Impressão:**
Noschang

---

Dados Internacionais de Catalogação na Publicação (CIP)
(eDOC BRASIL, Belo Horizonte/MG)

P964  Profissional de alta performance / Coordenador Paul Bahamondes. –
São Paulo, SP: Literare Books International, 2019.
14 x 21 cm

Inclui bibliografia
ISBN 978-85-9455-259-4

1. Assessoria pessoal. 2. Assessoria empresarial. 3. Liderança.
I. Bahamondes, Paul.

CDD 658.3124

Elaborado por Maurício Amormino Júnior – CRB6/2422

---

Literare Books International Ltda.
Rua Antônio Augusto Covello, 472 – Vila Mariana – São Paulo, SP.
CEP 01550-060
Fone/fax: (0**11) 2659-0968
site: www.literarebooks.com.br
e-mail: contato@literarebooks.com.br

# Sumário

Erros que os profissionais
de alta performance não cometem ............................. 7
Alexsandro Nascimento

Mindfulness: a hora certa é agora! ........................... 13
Bianca Munhoz Gongora

3-4-3: a tática dos
profissionais de alta performance ............................ 21
Claiton Fernandez

A criança viajante, a integridade e a eficiência ......... 29
Dani M. Hamra

Simples e produtivo com o método PSA .................. 37
Daniela Nazareth

Sem estratégia nada acontece .................................. 45
Daniele Marina Ribeiro de Oliveira

Nova era, nova versão de profissional ..................... 51
Denise Marsura

Confissões de um indivíduo
de alta performance criativo nato ............................ 59
Di Magalhães

Os nove pontos importantes
do profissional de alta performance ........................ 67
Ednilson Almeida

Mudança, a certeza que permanece! ....................... 75
Erica Drobina

Empoderamento humano na revolução digital .......... 83
Glaucia Cisotto

Qual é a sua alta performance? .......................... 91
Helder Silva

Rapport, sistema representacional,
metamodelo de linguagem ............................... 99
Jacqueline Cris Domingos Pinto

Qualidades para formar uma equipe
de alta performance ...................................... 107
José Luiz Junior

Coaching Parapsíquico, uma nova forma de
enxergar e lidar com os conflitos humanos .......... 115
Kátia Luzia Lima Ferreira

Em busca da realização profissional ................... 123
Lucedile Antunes

Saúde integrada: físico ................................... 131
Marcelo Cunha Ribeiro

Não existe almoço gratuito .............................. 139
Márcio de Almeida Ribeiro

Profissional com propósito .............................. 151
Maria da Conceição Andrade Oliveira

Mindset quântico, a alimentação do futuro .......... 159
Nelson Muradian

Como tornar-se um profissional de alta performance
e atingir resultados extraordinários .................. 167
Paul André Viana Bahamondes

Por que passamos tanto tempo humanizando
robôs e robotizando humanos? .................. 175
Rafaela C. Moutte de Oliveira

Tecnologia como aliada para o sucesso .................. 183
Renato Marcon Bognar

A Trilogia do Fracassado .................. 191
Samuel Queles

Profissionais de alta performance
na era Quarta Revolução Industrial .................. 199
Saul Christoff

Estratégia positiva:
um atalho para a alta performance .................. 207
Sergio Bialski

Performance na visão de um headhunter .................. 215
Sérgio Ferreira

Mindset universitário: relatos de uma experiência .................. 223
Sibeli Cardoso Borba Machado

A alta performance em três áreas de nossa vida .................. 231
Sidney Botelho

Gestão pessoal e alta performance .................. 239
Silvia Queiroz

**Se nada mudou, mude você!** ............................................. 247
Simone Cruz

**O autoconhecimento e o perfil
do profissional de alta performance** ........................ 257
Valderez Loiola

**Reflexão do empreendedorismo:
você com você mesmo na sua essência** ................. 265
Valéria Mido Baierle

**Mulheres de alta performance** ................................. 271
Valicir Melchiors Trebien

**Assinatura de forças de caráter** ............................. 279
Vânia Lucia Simieli

# Capítulo 1

## Erros que os profissionais de alta performance não cometem

**Alexsandro Nascimento**

O crescimento da competição no mercado trabalho é irreversível, devido ao acesso à educação, tecnologia e à uma longevidade nunca vista antes. A alta *performance* deixará de ser diferencial para ser essencial a todos os profissionais, times e corporações. Você verá aqui os principais erros que os profissionais de alta *performance* não cometem e os que comumente a maioria dos profissionais comete.

## Profissional de alta performance

### Alexsandro Nascimento

Mentor internacional de carreiras de profissionais das mais diversas idades e cargos, incluindo recém-formados e executivos de multinacionais. Professor nos principais MBAs da América do Sul, FGV, ITA, USP (FIA e POLI), com mais de 20 anos de experiência no mercado de trabalho, liderando projetos com equipes de até 500 pessoas. Mestre em Administração de Empresas pela Escola de Administração de Empresas de São Paulo, da Fundação Getulio Vargas (FGV-EAESP). Pós-graduado (FGV-EBAPE); bacharel em Ciências da Computação (UNISANTA), *master coach*. Certificação PMP; foi instrutor do PMI – SP. Desde 2007, mais de 14 mil pessoas, em todas as cinco regiões do Brasil, já assistiram as suas aulas e palestras que ajudam no reconhecimento profissional. Obteve a Certificação PMP em 2007 e foi instrutor do PMI – SP. Um dos primeiros brasileiros que estuda a motivação e o desempenho em carreira a obter cinco formações diferentes em *Coaching*, sendo duas delas em Master *Coaching*.

**Contatos**
http://carreirasemalta.com.br
alexsandro@carreirasemalta.com.br
Instagram: @alexsandronascimento.oficial
Facebook: Carreiras em Alta
LinkedIn: Palestrante Alexsandro
YouTube: Alexsandro Nascimento

Os profissionais de alta *performance* certamente erram também, mas aprendem com suas experiências e não cometem mais alguns erros que a maioria das pessoas comete.

Neste capitulo, discorrerei sobre os quatro principais erros que os profissionais de alta *performance* não cometem, os quais são: não ter clareza e planejamento de futuro profissional; não saber como se diferenciar; não saber se comunicar; não conhecer seus principais pontos fortes.

### Erro número 1: Não ter clareza e planejamento de futuro profissional

Além de deixar você com dúvidas sobre o seu futuro, provavelmente aumenta as chances de você desperdiçar tempo e dinheiro (estudando, comprando livros, cursos on-line e presenciais) que não levarão você direto para a carreira que você quer. Por isso, você identifica que os profissionais de alta *performance* constantemente falam sobre seus planos para o futuro profissional. Para ajudar você, seguem três questionamentos para você fazer agora:

1. Quem eu sou? (atividades que gosto de fazer);
2. Quem eu não sou? (atividades que não gosto de fazer);
3. Se ganhasse na loteria, com o que trabalharia?

Responder a essas questões aumenta substancialmente sua clareza sobre o futuro profissional.

### Erro número 2: Não saber como se diferenciar

Semestralmente milhares de profissionais se graduam nas universidades, mas poucos conseguem reconhecimento, crescimento profissional e ganhos acima da média. Uma das principais causas para isso é não saber se diferenciar positivamente, pois independentemente da cidade ou país que você está, há profissionais de alta *performance* que são reconhecidos e têm ganhos acima da média.

## Profissional de alta performance

Há exemplos, em todas as regiões, de médicos e cabeleireiros que cobram X, 2X e NX, isto é, em todas as regiões. E a principal diferença entre os profissionais que cobram NX para aqueles que cobram apenas X está em serem reconhecidos positivamente. E você, o que está fazendo sistematicamente para se diferenciar positivamente?

### Erro número 3: não saber se comunicar adequadamente

Todos os profissionais de alta *performance* cuidam e aprimoram sua comunicação, e você, está fazendo o que para ser reconhecido como um excelente comunicador? Você sabia que todos nós somos "vendedores"? No mínimo de ideias, abaixo seguem as principais características daqueles que se comunicam muito bem: pensa antes de falar; além de falar a coisa certa para a pessoa adequada, alinha o tempo e a forma de falar; tem uma comunicação que transmite confiança, credibilidade e segurança; não reclama ou critica por criticar.

Levando esses quatro itens em consideração, sua comunicação mudará de patamar rapidamente.

### Erro número 4: não conhecer seus principais pontos fortes

Conhecer seus pontos fortes vai além do autoconhecimento, pois não basta ter ciência de seus principais diferenciais, é necessário compreender e melhorar a estratégia para usá-los a favor da sua carreira e, quando entendemos isso, temos um sentimento natural de autoconfiança, gerando e potencializando nossa autoestima em alta, o que todos os profissionais precisam, mas isso é muito mais comum nos profissionais de alta *performance*. Algumas questões para você refletir sobre os seus pontos fortes: você é capaz de citar ao menos 15 pontos fortes seus em até 1 minuto? Você sabe quais dos seus pontos fortes mais são valorizados no seu local de trabalho? Você sabe quais dos seus pontos fortes mais diferenciam positivamente suas características? Entre investir tempo para "trabalhar" nos pontos fracos e "potencializar" os pontos fortes, qual você deve priorizar? Qual é o ponto forte que se você priorizar a potencialização dele mais ajudará você a ir para o seu próximo nível profissional?

Se você respondeu "não" a três ou mais questões, fique tranquilo, pois a grande maioria das pessoas não consegue responder de primeira a essas questões. Isso demonstra como esse assunto é relevante para você e, que bom, que leu até aqui e compreendeu isso sobre a consciência dos seus pontos, você já está na frente da maioria das pessoas.

Esses quatro erros apresentados aqui dificilmente são cometidos por aqueles que ja são considerados de alta *performance*, possivelmente eles cometeram durante a sua trajetória de melhoria contínua até serem reconhecidos como profissionais de alta *performance*.

Você, ao ler este capítulo e ao compreender a importância de evitar daqui para a frente tais erros, está no caminho para também se tornar um profissional de alta *performance*. E ser reconhecido como tal.

## Capítulo 2

### Mindfulness: a hora certa é agora!

**Bianca Munhoz Gongora**

Durante doze anos me dediquei a estudar o autoconhecimento. Mas há dois anos fui apresentada a uma prática que mudou minha vida. Nas próximas páginas vou ensinar como aplicá-la e praticá-la, mas por hora quero que você apenas respire profundamente. Pronto! Agora você está preparado para entender o que irei falar. Espero que essa técnica transforme tanto a sua vida como transformou a minha.

## Profissional de alta performance

### Bianca Munhoz Gongora

Comunicadora Social graduada pela Universidade Metodista de São Paulo, com especialização em Desenvolvimento Humano Organizacional e Business Partner Empresarial (Escola de Negócios Integração). *Chef* formada em Gastronomia pelo Instituto de Gastronomia da América Latina e Practitioner em PNL formada pelo Instituto Você (2011 a 2013). *Coach* (*life and professional*) pela Sociedade Brasileira de Coaching (SBC) desde 2014, o maior centro de excelência em *Coaching* do país. Yoguini, praticante assídua de ioga há três anos. Engajada em projetos e cursos de física quântica (mestras Noemi Badialli e Isabel Otto). Certificada pela Felipelli na ferramenta MBTI. Certificada pela Lederman Consulting and Education no curso Jeito Disney de Atender os Clientes. Especialista em autoconhecimento humano e consultora em Desenvolvimento Humano. Idealizadora do Método "Empoderando o SER". E, recentemente, formada em Radioestesia e Astrologia pela Escola Consciência Cósmica. Apaixonada por ajudar as pessoas a encontrar seus propósitos e formas de evolução mental, espiritual e vibracional. Formação de *thetahealler* pelo Thetahealing institute of knowledge.

**Contatos**
https://biancamunhoz.wordpress.com.com.br
Instagram: bibimunhozoficial
Facebook: Bianca Munhoz Página: @bibimunhozcoach /
WhatsApp: (11) 98269-8079

Plim, plim... Seis e meia da manhã, e o despertador toca, mas será possível? Você acabou de se deitar. Na verdade, você foi dormir às onze da noite, mas sente que a noite toda passou, literalmente, num piscar de olhos. Você entra no trabalho às oito da manhã e já toma um cafezinho, afinal você terá duas reuniões só na parte da manhã e terá que manter-se acordado até a hora do almoço. Aliás, você não vê a hora de chegar o almoço, pois a reunião está um festival de *shittalking* (nada importante) e você saiu às pressas de casa e mal tomou seu café da manhã. Quando chega o almoço, diversos assuntos são abordados, daqueles inadiáveis, tipo fofocas de famosos, tragédias de pessoas conhecidas ou ainda aqueles que vêm diretamente da famosa Rádio Peão: "Extra! Extra! O gerente de *marketing* foi demitido e parece que foi por justa causa". Quando você percebe, o almoço acabou e você mais falou do que comeu. Você volta para sua mesa e suas pálpebras pesam tanto que você mal consegue ler um e-mail inteiro, aí você se levanta para mais um cafezinho e volta cheio de disposição, até que chamam para mais uma reunião. Quando você sai, está exausto! Mas ainda são quatro da tarde. Você olha o relógio e sente que ele não anda. A fome aumenta e você se levanta para mais um cafezinho, mas dessa vez com pão de queijo. Finalmente são cinco horas e daqui a pouco você vai embora e seguirá rumo à academia. Afinal, você está com a mochila no carro e hoje você não pode faltar, pois há três meses paga academia sem ir. Mais tarde, você pede um *delivery*, pois está com preguiça de cozinhar o jantar e vai dormir bem tarde para terminar de assistir à temporada da sua série favorita. Passam-se dias assim e você nem percebe que está vivendo no perigoso piloto automático.

    Meses depois você entra em desespero ao subir na balança, nota sete quilos a mais do seu peso normal e aí você pensa: "Meu Deus! Como isso aconteceu? Eu estou comendo tão pouco". Seu chefe chama e dá aquela bela bronca, pois no teste de desempenho do RH você deixou a desejar, por falta de comprometimento ou por falta de entrega. Por fim, você vê que não está feliz no trabalho, nem com sua aparência e vida pessoal, e isso já faz muito tempo.

Essa história se repete várias vezes com pessoas diferentes e em situações diferentes, mas o resultado é sempre o mesmo: infelicidade com a vida.

Nessas próximas páginas, eu explico como você pode virar esse jogo a seu favor e viver uma vida com mais propósito. Trago aqui o que descobri de mais valioso através da ioga, PNL, física quântica e, principalmente, da meditação. Trata-se de algo que permeia todas as técnicas e não requer curso para aprender, apenas prática: *mindfulness*. A palavra *mindful* significa manter-se lembrando de algo e com o sufixo "*ness*" ela ganha um novo sentido, conhecido na psicologia como "atenção plena".

### Cabeça vazia, oficina de... ideias

Você provavelmente já escutou o ditado "cabeça vazia, oficina do diabo", mas você já se perguntou o porquê dessa expressão? Alguns dizem que quando esvaziamos a cabeça, imagens catastróficas vêm à nossa mente e começamos a nos preocupar com suposições de algo que não existe e talvez nunca existirá. Mas se nossa cabeça está "vazia", por que então vêm imagens ruins e pensamentos assombrosos à nossa tela mental?

Hoje quero revelar algo para você: nossa cabeça nunca fica vazia. O estado de meditação, que alguns chamam de estar em alfa, nada mais é do que deixar os pensamentos fluírem de maneira natural, apenas observando-os sem interferência emocional. Pode parecer complicado no começo, mas é importante que você entenda que o objetivo não é esvaziar a mente, já que isso é impossível, mas sim deixar que os pensamentos fluam de forma orgânica e natural. Meditar não é relaxar em um lugar calmo ouvindo um mantra. A meditação pode ser feita em qualquer lugar, desde que você esteja presente, prestando atenção na sua respiração e atento ao comportamento do seu corpo. Estar presente é liberar todo e qualquer pensamento ruim do futuro ou passado, evitando o surgimento de doenças psicossomáticas.

Não vou me aprofundar aqui em termos técnicos e científicos, mas a física quântica já provou que nossas doenças e crises emocionais são única e exclusivamente causadas pelos nossos pensamentos.

Cada pensamento que surge em nossa mente desperta emoções, boas ou ruins, mas quando focamos em cenas que não aconteceram (tragédias que nosso cérebro inventa), nosso corpo reage com sensações de medo, aflição, ansiedade, estresse, raiva e tristeza. Essas sensações vão diretamente para o nosso campo energético. Este também chamado de aura ou campo eletromagnético que é, a grosso modo, uma espécie de bolha de energia que envolve todos os seres vivos. Podemos dizer que as plantas, os animais e até a terra possuem um campo de energia. No entanto, o campo energético humano é específico para a nossa espécie e afeta a forma como percebemos a vida, o que influencia, principalmente, nosso comportamento, manifestação de ideias e emoções. A troca de energia entre uma pessoa e o universo acontece de forma constante e a frequência de uma influencia a da outra. Nesse sentido, alguém que está alimentando energias ruins em sua vida irá emanar e atrair vibrações igualmente baixas, o que poderá impactar negativamente na forma como se sente, nos pensamentos, decisões e, até mesmo, na saúde. Por outro lado, conservar apenas boas energias faz com que se atraia cada vez mais coisas positivas, que contribuem com sua felicidade e desenvolvimento. Quando não atraímos as boas energias é porque nossa frequência vibracional está baixa e nosso corpo começa a somatizar, mandando sinais para o cérebro de que algo está errado. A isso se atribui o nome de doenças psicossomáticas.

## Psico o quê?

Psicossomática vem da junção de duas palavras de origem grega, psique, que significa alma, e soma, que significa corpo, ou seja, uma doença psicossomática é aquela que tem origem na alma e no psicológico, gerando consequências também físicas no corpo. A mente e o corpo formam um sistema único e muitos mecanismos inconscientes estão presentes nessa ligação. Quando você apresenta algum desequilíbrio no seu estado emocional, mental ou astral, ou seja, no seu campo energético, esse acúmulo de fatores interfere, causando dores e problemas físicos.

Nosso cérebro foi programado para pensar, mas ele também cria situações irreais, baseado apenas em coisas que já vimos ou nos contaram. A mente assimila as informações que nos são transmitidas a cada instante e se não ficarmos vigilantes com nossos pensamentos, a mente mentirosa cria sintomas para doenças inexistentes, ou então inventa um diagnóstico antes mesmo de irmos ao médico. Algo assim ocorreu com uma tia minha que achou que estava tendo um ataque cardíaco e foi às pressas para o hospital, de tão apavorada com o sintoma, ela passou pela emergência como uma bala e prontamente o hospital a atendeu. A resposta do médico: "A senhora está, sim, à beira de um infarto agora, mas o que a trouxe aqui foram apenas gases. Pode ir para casa, vou lhe receitar um calmante". O caso se torna até engraçado, mas essa é uma pequena mostra do quanto nosso cérebro pode nos sabotar. Isso não acontece só com questões ligadas à saúde e, para que isso não aconteça, precisamos estar vigilantes aos nossos pensamentos, nunca viver no passado, nem no futuro, é preciso estar sempre presente vivendo o agora. Vou ilustrar melhor como funciona. Certa vez fui a Barcelona, já que íamos viajar com meu filho, neném de nove meses, seguimos todas as dicas dadas pela pediatra. Levamos os remédios, madeiras, leite suficiente e até papinhas em lata para não corrermos o risco de não achar comida apropriada para ele. Visitamos museus, restaurantes, foi uma viagem incrível. Um tempo depois me pego nesses momentos "nostalgia" da vida e, ao observar as fotos, percebi detalhes nos lugares em que tínhamos ido que quando estava lá não tinha visto. Foi impossível "enxergar" tudo à minha volta, pois estava sempre com a mente ocupada com a próxima refeição, próximo passeio ou com qualquer questão futura, e acabei não aproveitando verdadeiramente o que Barcelona tem a oferecer.

**A hora é agora**
Sente-se em uma posição confortável. Respire profundamente, expire liberando todo o ar. Concentre-se apenas na sua respiração, observando sua inspiração e expiração. Agora, todo pensamento que vier acolha e deixe fluir. Se algo deixar você com medo, ou outra sensação, não vibre na emoção, apenas observe e se pergunte: por que isso me dá medo? Seja espectador das suas emoções e o pensamento vai se desvanecer do mesmo jeito que surgiu. Quando seus pensamentos começarem a fluir sem interrupções das emoções, parabéns! Você está meditando. Não tem segredo, apenas siga sua intuição. Pode manter os olhos abertos, mas quando fechamos os olhos para o mundo, os abrimos para a alma e a sensação de conexão é maior. Quando nos sentimos conectados à nossa alma, alcançamos o que existe de maior em nós, o nosso eu superior ou, como eu gosto de chamar, nossa centelha divina, o "eu sou".

Essa conexão eleva nosso nível de consciência, aumentando gradativamente nossa atenção plena durante nossas tarefas. Portanto o caminho mais fácil de pôr em prática o *mindfulness* é através da meditação. Quantas vezes sem perceber você já devorou a pipoca antes mesmo do filme começar? Provavelmente muitas, por isso, em sua próxima refeição, respire fundo três vezes e observe as cores de cada alimento no prato, sinta o aroma de sua comida e faça um agradecimento. Agora, sim, coloque a primeira garfada na boca, deixe que as papilas gustativas ajam e sinta texturas e cada nota de sabor. Perceba que ao final da sua refeição, provavelmente, você se sentirá muito mais satisfeito e terá vivido um momento bem mais prazeroso. Quando comemos compulsivamente sem prestar atenção no que estamos ingerindo, estamos na verdade mandando uma mensagem para nosso corpo de que não estamos preocupados com o nosso organismo. Conclusão: engordamos, temos diabetes, obesidades e outras complicações na saúde. Portanto, estar presente ajuda até na digestão. Para não sentir que a comida não desceu legal, fale de assuntos agradáveis durante as refeições, afinal não só a comida está sendo ingerida, mas o que se fala também vai para seu organismo.

**Mas por que manter nossa mente presente no agora ajuda na nossa performance?**

A essa altura você já percebeu que não estarmos presentes não prejudica apenas nossa alimentação, e que qualquer área de nossa vida pode ser afetada pela falta da atenção plena. Ao praticarmos o *mindfulness*, passamos a viver mais intensamente cada momento, aumentando o nosso propósito e, da mesma forma que a distração na hora da refeição pode resultar em complicações, a falta de atenção ou de se entregar ao momento no dia a dia também acarreta várias complicações, como as doenças psicossomáticas que falamos. Quando estamos presentes no agora nossa mente está livre de qualquer melancolia do passado ou ansiedade do futuro, estamos conscientes de tudo à nossa volta e sentimos que podemos fazer qualquer coisa, pois não há sofrimento e somos gratos por estarmos aqui.

Acredite, você é parte de um todo, muito maior do que podemos imaginar. Você tem uma função que é só sua e para executá-la com maestria você precisa estar presente a cada momento, dando o seu melhor para ser bem-sucedido, na carreira,

## Profissional de alta performance

nas finanças, na família e na vida. Quando estamos presentes, ou seja, com atenção plena a tudo que está acontecendo, nos sentimos pertencentes e tão importantes quanto o outro. Tudo está em perfeita ordem e você faz parte disso. Você dando o seu melhor aumenta sua *performance* e isso faz de você um ser único que sabe aproveitar o melhor que o agora tem a oferecer.

## Capítulo 3

### 3-4-3: a tática dos profissionais de alta performance

**Claiton Fernandez**

Este capítulo une três figuras que correm em minhas veias e compõem o meu DNA: o esporte - futebol, a liderança e a superação pessoal. Esses são os meus pilares de vida, os quais forneceram as condições necessárias para me tornar um profissional de alta *performance* na formação tática 3-4-3, que aplico no meu dia a dia há algumas décadas. Quero lhe mostrar que é possível tirar aprendizados e inspirações de inúmeros lugares.

## Claiton Fernandez

Mestre em Administração pela Universidade Metodista de Piracicaba (UNIMEP) com extensão pela Universidad Madero Puebla (UMAD), México; MBA Executivo Internacional em Gestão Empresarial pela Fundação Getulio Vargas (FGV) com extensão pela University of California Irvine (UCI), USA; graduado em Ciências Contábeis pela Universidade de Santa Cruz do Sul (UNISC). Atuação profissional no Brasil, Europa e América Central nos mercados corporativo, esportivo, de gestão pública e educacional, ocupando os cargos de presidente do Conselho de Administração, CEO, diretor executivo, secretário municipal da Fazenda e da Administração. Palestrante internacional especialista em liderança de equipes e superação de desafios, realiza palestras e treinamentos *in company* e em eventos abertos. Professor de pós da FGV, consultor e conselheiro organizacional, mentor de carreira e de negócios, autor de artigos e livros, colunista do Jornal Arauto, CEO Fundador do Instituto Claiton Fernandez.

**Contatos**
www.institutoclaitonfernandez.srv.br
contato@institutoclaitonfernandez.srv.br
Instagram: @ClaitonFernandez
LinkedIn: Claiton Fernandez
Facebook: fb.me/OClaitonFernandez
YouTube: Claiton Fernandez
Celular/Whatsapp: (51) 99709-0701

Eu nasci em 1959, no início daquela chamada "era de ouro" do futebol brasileiro. Ainda era criança quando a Canarinho erguia três taças de campeão mundial em quatro copas disputadas. O futebol tem um pouco mais de idade. Em campo, entravam dez homens de linha e um goleiro. Talvez essa seja a única parte do esporte que se mantém até hoje. Com o passar dos anos, alguns desses homens perceberam que podiam criar mecanismos para rodar a bola com mais facilidade, cujo mecanismo inovador é o que todos conhecemos como passe.

A Inglaterra, pioneira no esporte, criou a primeira formação tática do futebol. Eles se posicionavam com dois jogadores atrás, três no meio e cinco à frente. Com lançamentos longos atravessavam o campo com velocidade e surpreendiam os adversários.

Com a disseminação do esporte, cada povo interpretou o jogo à sua maneira. Reduzindo os lançamentos para passes curtos foi o que colocou a Argentina e o Uruguai por anos entre os melhores do mundo. Tão simples que beira a obviedade. Quantas vezes passamos anos da nossa vida procurando por soluções mirabolantes para problemas que seriam facilmente resolvidos e facilitados com decisões simples?

O Brasil sempre foi sinônimo de criatividade e adaptações. O técnico Flávio Costa ajustou o meio de campo e criou diagonais que davam mais mobilidade ao esquema. O time se movimentava por inteiro com muita facilidade. Esse conceito ganhou o mundo como 4-2-4.

Foi na seleção brasileira, também, que um atleta do meio foi recuado para a função de quarto zagueiro e o jogador mais avançado da zona intermediária se aproximava mais dos atacantes. Esse quarto jogador vinha de trás e aterrorizava qualquer defesa que jogasse no clássico WM. Esse era o chamado ponta de lança e, no caso brasileiro, era Edson Arantes do Nascimento, o Pelé.

Após seis décadas de vida, você se permite fazer um balanço geral da vida e ter algumas certezas. Vivenciei muitas coisas nesse período. Muitas e intensas mudanças globais e quase a mesma dosagem de mudanças pessoais. De 1959 para cá foram tantos "Claitons" diferentes que fica até difícil colocá-los no papel. O que consigo dizer é que o Claiton de hoje é um apanhado dos erros e acertos de todos os anteriores e, por isso, posso afirmar que sou um vencedor.

É incrível pensar no tamanho da evolução futebolística que ocorreu antes de eu chegar a este mundo. Mas é mais incrível ainda pensar na quantidade de coisas que aconteceram depois que cheguei. Sugiro a você se aprofundar sobre o conceito de crescimento exponencial, vale a pena.

Quando nasci, já haviam descoberto que o 4-2-4 era forte para atacar, mas ineficiente para defender. Tática já não era mais apenas sobre posicionamento, mas também sobre movimento. Imagine a dificuldade de se ensinar 11 homens – que, até então, só sabiam seguir suas posições e buscar o gol – a fazer uma leitura do que acontecia em campo e que os zagueiros pelos lados precisariam virar meio-campistas quando o time atacava. Pois é. Foi assim que nasceu o 4-4-2.

Ao contrário do futebol, na minha vida os desafios entraram de forma precoce. Talvez por isso eu tenha tido a necessidade de amadurecer cedo. Para que você entenda: meus pais, agricultores, ainda adolescentes, estavam despreparados para terem um filho. Com 5 anos, sofri o primeiro grande baque da vida: perdi toda a arcada dentária, passando a conviver com pontes móveis superior e inferior.

Imagine uma criança em um lar que beirava a hostilidade, anos trabalhando na roça, criado pelos avós maternos, revoltado e causador de brigas. Certo que o meu destino, à época, seria um internato, para onde fui aos 14 anos. Foi lá onde comecei a entender o que o mundo tinha à minha espera.

As pontes móveis me apresentaram às mais variadas formas de exposição, vergonha e humilhação pública. Sofria uma versão intensa do que a juventude de hoje chama de *bullying*. Foi no esporte que eu encontrei uma válvula de escape. As competições eram a luz no fim do túnel que eu precisava.

Em meio a tudo isso, a Holanda de Cruyff apresentava ao mundo um 4-3-3 que se transformava em um 3-4-3 ao longo dos noventa minutos. Todos deveriam saber defender e atacar, trocar de posição, criar os espaços enquanto atacavam e fazer pressão no campo adversário ao defender. Era assustadoramente incrível.

Logo após o internato, aos 20 anos, iniciei a carreira profissional, em uma sapataria, como lixador e colador de sapatos.

Depois parti para o meu segundo emprego, em uma olaria e serraria, como auxiliar de escritório.

A essa altura do campeonato, quase uma década havia se passado desde o advento de uma das seleções brasileiras – e mundiais – mais brilhantes de todos os tempos. Quando Zagallo assumiu a inesquecível seleção de 70, se deparou com um problema sério. Não havia um centroavante de ofício com a qualidade necessária. Mas o que o transformou em um dos maiores nomes do esporte foi que, em vez de ver apenas o problema, ele descobriu que poderia compensar a falta do homem de referência inserindo mais qualidade no meio do campo. Convocou o que havia de melhor no Brasil e construiu um setor intermediário com Rivelino pelo lado esquerdo, Jairzinho na ponta direita e Pelé pelo centro.

Enquanto eu enfrentava os desafios que a vida me empunha também na vida adulta, seguia a observar no futebol as características que poderiam me dar a base que eu precisava para enfrentar meus próprios adversários. Na década de 1980, o argentino Carlos Bilardo inverteu a pirâmide inglesa. Escalou três zagueiros e adiantou os alas. Em momentos difíceis, os alas recuavam e formavam um 3-5-2. Certamente você lembra do quanto Diego Armando Maradona brilhou para o mundo nesse esquema.

Quando em meados dos anos 90 saí do interior gaúcho para São Paulo, passei por experiências de vida que levaram minha mente de volta à infância. A vida pregou-me desafios fortes. Houve momentos em que pensei que a cruz fosse pesada demais, mas foi justamente aí que consegui encontrar e superar o meu maior adversário: eu mesmo.

A verdade é que, tanto no futebol quanto na vida, não existe uma resposta única e verdadeira. Jogos e desafios se vencem um a um e com repertório. Alvin Toffler é constantemente citado nas minhas palestras, por conseguir resumir o que é essencial para se manter durante anos em alta *performance*: é preciso aprender, desaprender e reaprender.

Hoje temos inúmeras variações táticas, técnicas diferenciadas, disputas de alto nível e atletas com níveis de *performance* tão altos quanto se imagina ser possível. Tite acresceu um número aos três clássicos da formação tática e diz que a sua seleção atuaria no que chama de 4-1-4-1. Nela, são quatro defensores e dois pontas.

Quando, há 20 ou 30 anos, imaginaríamos ver jogadores de ataque obrigados a voltar para marcar? Assim também é na vida profissional. Não podemos nos contentar apenas com o que

## Profissional de alta performance

funciona agora. Pouco à nossa frente está alguma mudança que pode mudar o sentido de tudo e nos colocar no banco de reservas única e exclusivamente por não a termos percebido.

Todo esse ensaio sobre a história da tática no futebol é para dizer que você pode tirar aprendizados e inspirações de inúmeros lugares. Também porque me deixa feliz poder compartilhar as minhas experiências com os outros, claro. Dos mais inusitados aos mais óbvios, há sempre um ensinamento, basta estar atento e pronto para enxergar.

A cada novo desafio que você enfrenta, seu cérebro ajuda a encontrar uma maneira de superá-lo, mas também usa artifícios que prejudicam suas tomadas de decisão futuras. Ele evita ao máximo o desperdício de energia e busca por soluções rápidas baseadas em decisões anteriores a fim de poupar-nos tempo e energia. E isso pode lhe prejudicar na medida em que nessas ocasiões você opta pela primeira opção que aparece e deixa escapar – ou nem vê – outras possibilidades de resolver um mesmo problema.

Pensando nesse tipo de situação, criei o que batizei de 3-4-3 da Alta *Performance*. Usando uma dosagem grande da minha experiência de vida aliada à minha paixão por futebol, criei uma formação tática que, quando aplicada ao seu dia a dia, vai lhe permitir ser um profissional mais performático e uma pessoa mais feliz com os resultados que obtém.

Quer entender como funciona? Nessa formação, nosso time entrará em campo com três defensores, quatro articuladores e três fatores de ataque. Vou abordar cada um desses três elementos individualmente para compreender com clareza.

É preciso ter em mente que nesse time vencedor você é o camisa 1. O primeiro homem em campo. Você é responsável por manter sua concentração durante toda a partida e estar preparado nas vezes que for requisitado. Haverá momentos de calmaria, longos e duradouros, mas você não poderá se deixar relaxar.

À sua frente, defendendo sua baliza, estarão três importantes pilares para quem almeja a alta *performance*: a liderança, a paixão e a superação pessoal. Começamos essa conversa abordando algo factual: ninguém performa em alto nível sozinho. Você vai precisar se cercar de pessoas competentes e saber delegar funções e afazeres como ninguém. Prepare-se para isso.

A paixão é algo fundamental, pois é dela que virá força e inspiração nos momentos em que seu adversário estiver perto de vencer a partida. No meu caso, foi o futebol. O terceiro defensor é a superação pessoal. Você vai precisar fazer uma viagem para contar com ela no seu time. Visite o seu passado e relembre as suas vitórias e derrotas ao longo da vida. Liste-as em um papel com caneta azul e leia-as algumas vezes em diferentes momentos. Isso auxiliará você a lembrar da força que possui nos momentos de instabilidade e a prepará-lo para as dificuldades que ainda virão.

Com a defesa postada, vamos à zona intermediária. São fatores antigos, mas que formam um meio de campo competente para lhe auxiliar na transição entre os momentos de defesa e ataque. Na seleção brasileira, já torcemos e vibramos com o quadrado mágico, aqui, escalaremos o quadrante do equilíbrio:

- **Físico –** é como nos vemos no espelho; o nosso corpo tem o desempenho de acordo com os cuidados que damos a ele.

- **Mental –** aqui se concentram nossas múltiplas inteligências; se a mente estiver poluída com medos, ansiedade e imagens desalinhadas dos objetivos, não visualizaremos o que queremos.

- **Emocional –** neste pilar, estão presentes os nossos sentimentos, emoções e apegos, responsáveis por 97% de todo o nosso sofrimento.

- **Espiritual –** aí reside a espiritualidade, essência do melhor em nós, conduta no caminho do bem e da prosperidade.

É importante lembrar que os quatro pilares funcionam bem coletivamente, mas quando explorados em demasia individualmente, fracassam. Quando um pilar não vai bem, reflete nos outros. A harmonia e o equilíbrio entre eles atingem diretamente a nossa saúde e o nosso bem-estar.

Agora que nós já temos mais de meio time definido, podemos partir para o ataque. De nada adianta você defender bem, criar muito e não converter seu jogo em gols e resultados, correto?

No início de 2019, eu estava com um sobrepeso de 15 quilos e reflexos decorrentes nada aconselháveis: índices descontrolados de triglicerídeos, colesterol total e vitamina B12, gordura no fígado com iminência de cirrose e diabetes, tudo isso causando cansaço físico, esquecimento, tonturas, falta de concentração.

O médico foi implacável: aplicou-me um misto de cartões amarelo e vermelho. Fiquei assustado e decidi logo rever meu *mindset*. Foi a partir daí que fiz mudanças na equipe e chamei de volta esta tríade arrojada que muito me auxiliou a vencer quando jovem: reeducação alimentar, atividade física diária e um período de descanso maior, todos reincorporados à minha rotina e, para isso, contei neste setor de campo com o apoio decisivo da minha esposa.

Em apenas 72 dias obtive resultados impressionantes: perdi os 15 quilos, índices de exames 95% em dia, volta da autoestima e da motivação, o tamanho das roupas normalizou. Voltei a me sentir como há 20 anos. Afastar de vez os riscos de patologias iminentes e que poderiam ser fatais, além de sumir com os indícios de depressão, de estresse e de ansiedade, apontam que o tripé de metas deu certo.

Ao longo da vida, a gente aprende que tudo oscila e flutua. Mesmo assim, ouso dizer: se planejar a sua vida e colocar no papel suas metas e táticas para atingi-las, fica quase impossível você não melhorar profissional e pessoalmente.

Ao contrário do futebol, na vida os momentos decisivos não costumam ser tão claros. Por esse motivo, é necessário estar sempre preparado física, mental, emocional e espiritualmente para conquistar resultados acima da média.

Após a final da Copa América 2019, os atletas da Seleção Brasileira de Tite repetiam quase que como um mantra as palavras ditas por Casemiro no pré-jogo: final não se joga, se vence. Assim é na vida. Há momentos em que você precisará jogar feio, dar balão para frente e trombar com atacante para vencer.

Que a aplicação da Tática 3-4-3 da Alta *Performance* seja o primeiro passo para que você evolua e possa criar sua própria formação de sucesso.

## Capítulo 4

### A criança viajante, a integridade e a eficiência

*Dani M. Hamra*

Para viver de acordo com nossa essência e caminhar coerentemente rumo a nossa melhor versão, buscamos nossa criança interior. Unida com a integridade e a eficiência, ela nos permite rever nosso íntimo e analisar onde estamos, aonde queremos chegar e se estamos agindo de acordo. É a nossa criança viajante, que vemos por aí nas crianças, mas que também temos dentro de nós, que nos lidera.

## Dani M. Hamra

Formada em Pedagogia com especialização em metodologias no ensino de matemática e ciências e pós-graduação em Gestão Educacional e Liderança pela American University of Beirut (2009). Morou durante 22 anos no exterior, passando por 22 países, é fluente em inglês, francês, árabe, espanhol e romeno. Certificações: mentora em Inovação e Negócios pelo Global Mentoring Group (2018), *personal trainer* pelo American Council on Exercise (2015), curso Teatro do Oprimido de Augusto Boal (2018). Desenvolveu abordagem de ensino interdisciplinar Studio1 Education, que usa vivências, jogos teatrais e *"hacking"* para o ensino de idiomas e é adaptável a qualquer matéria. Atua com mentoria e treinamento para professores e aulas de idiomas. Atualmente trabalha como consultora pedagógica bilíngue, atuou como voluntária no Instituto de Psiquiatria do HC-FMUSP como intérprete de inglês, francês, árabe e espanhol no ambulatório transcultural e cursa nível básico de Libras.

**Contatos**
studio1education@gmail.com
Instagram: @studio1education

Lembra quando você era criança e brincava na rua, brincava de polícia e ladrão, de cabaninha, de esconde-esconde, pega-pega? Quando você se imaginava em lugares diferentes e tinha ideias vibrantes, lúcidas, e uma vontade e energia de viver com vitalidade pura, sem empecilhos, sem cobranças, sem se preocupar com alta ou baixa *performance*, sem perder a arte de fazer arte... lembra-se bem? Então, pois eu lhe pergunto, essa criança ainda está aí pertinho de você? Ela ainda está na sua essência, presente no seu dia a dia, em suas decisões, em suas vontades, planos e atitudes? Ela está aí, no seu íntimo, mantendo a consciência de quem você é, e aconselhando você por via da intuição, para que siga seu caminho com integridade? Aquela criança pura, que sabe o que quer e que tem uma vontade ingênua de conseguir tudo o que vier em mente, de coração, e que tem um amor enorme por si mesma e um olhar de empatia com aqueles ao seu redor. Aquela criança que tem uma capacidade criativa absurda, e que aprende fácil, observando os outros, observando ações, e que tem uma sensibilidade aguda para o que é certo e o que é errado, sempre pensando em como suas decisões afetarão o mundo ao seu redor. Aquela criança que arregala os olhos e sorri, se diverte, e brinca com a vida em sua maior simplicidade e com todas as possibilidades imaginárias impossíveis que podem se tornar possíveis. Aonde foi parar essa criança? Ainda tem um pouquinho dela aí com você, que ao ler este texto começa a vibrar de alegria se identificando com o fato dela estar aí de fato? Ou estaria ela ausente?

Reflita por um momento antes de continuar. Essa criança, chamaremos de criança viajante, pois a criança em si tem qualidades de uma pessoa viajante, que se joga no mundo de braços abertos para conhecer novas culturas, idiomas, lugares: curiosidade, empatia, inteligência emocional, intuição, adaptabilidade, coragem, simplicidade, humildade, facilidade para aprender, vitalidade, motivação, compreensão e habilidade de observar. Sem essas características, podemos dizer que uma pessoa não teria melhor proveito se ela tivesse que viajar e se expor a novas experiências e pessoas. Pense nas vezes que você viajou e no proveito que você mesmo teve, e se aquele proveito poderia ter sido melhor, se você se permitisse desabrochar essas características, e em caso afirmativo, se ficou faltando alguma coisa que você poderia ter feito para que sua experiência tivesse sido mais marcante e presente, mais íntegra.

Pois é essa criança viajante e a integridade que venho abordar com urgência e paixão, como essenciais elementos para o cenário atingível de alta *performance* com verdadeira eficiência e vitalidade. Primeiramente, gostaria de fazer uma observação derivada da minha experiência internacional, vivendo 22 anos pelo mundo, passando por coincidentemente 22 países, e trabalhando com o desenvolvimento das capacidades do ser humano como educadora, *personal trainer* e gestora em instituições e projetos educacionais. Existe uma imensa necessidade de prestarmos atenção a essa criança viajante e a nossa integridade, para essencialmente como seres humanos mantermos nossas qualidades afetivas. Como já definimos a criança viajante, segue uma breve definição de integridade, direto do dicionário on-line Michaelis:

1. Estado ou característica de algo que está inteiro; inteireza.
2. Estado ou característica daquilo que se revela intato.
3. Qualidade ou caráter de uma pessoa de conduta irrepreensível; honestidade.
4. Característica de quem é inocente ou puro; inocência.

Outros sinônimos, tais como intangibilidade, honestidade, imparcialidade, isenção, justiça, dignidade, equidade, honra, retidão e seriedade valem ser mencionados para aprofundar nosso entendimento do que é integridade. Quando somos íntegros em nossa vida, não só buscamos ser o melhor que podemos, mas também desenvolvemos consciência daquilo que somos e fazemos, e tendo essa consciência, passamos a nos conhecer melhor e buscamos o que falta para nos completar. Ficamos satisfeitos com nossas qualidades, mas também acabamos focando a nossa atenção naquilo que ainda temos que aprimorar. Ou seja, ser íntegro é saber exatamente onde estamos e como podemos evoluir para nos tornar seres completos, para ir atrás de ambições, e tudo o que queremos conquistar, para planejar melhor como atuar para obter os resultados que queremos, para desenvolver habilidades que necessitamos e alcançar o estado dessa tal integridade. Para que isso aconteça, a eficiência é chave. De acordo com o dicionário Michaelis on-line, a eficiência é definida como:

1. Capacidade de produzir um efeito; efetividade, força.
2. Capacidade de realizar bem um trabalho ou desempenhar adequadamente uma função; aptidão, capacidade, competência.
3. Qualidade do que é passível de aplicação vantajosa; proveito, serventia, utilidade.
4. Atributo ou condição do que é produtivo; desempenho, produtividade, rendimento.

E, para também refletir sobre seu conceito melhor por meio de sinônimos como eficácia, efeito, energia, competência, capacidade e habilidade, podemos dizer que não podemos ter integridade sem eficiência e vice-versa. A eficiência gera a integridade, por ser uma qualidade que está diretamente relacionada à alta *performance*, à produtividade, ao rendimento e ao melhor caminho para atingir um objetivo, e, ao mesmo tempo, ao extremo oposto. A energia que colocamos em qualquer empenho vai diretamente afetar o desempenho final, e é durante o caminho que, se formos eficientes e conscientes ao aplicar essa energia, podemos ter um resultado íntegro positivo. O resultado será sempre imparcialmente íntegro, pois ele é uma projeção daquilo no qual nos empenhamos, pensamos e falamos ao longo do trajeto, e isso tudo há de ser feito com eficiência positiva, ao invés de eficiência negativa ou neutra. Para ilustrar essa reflexão, aqui está um poema de minha autoria que brinca com as palavras em relação ao poder da fala e a energia que empenhamos:

**Palavras jogadas ao vento**

Falar é poder.
Poder é energia. Porque tem carga.
Carga positiva, negativa, ou neutra.
E se falar é poder, e poder é energia,
Falar então é energia.
Energia falada com poder é poderosa.

E o poder falado com energia é poderoso.
Então a fala é poderosa com energia.
Falar sem energia desempodera,
Mas falar com energia empodera
Se for positiva
E negativa também.
Mesmo neutra.
O poder da fala é definido pela sua energia.
Tudo o que jogares para o vento voltará.
Atenção com a energia que empoderar na sua fala.
Pois o vento se energiza com o poder da sua fala.
E o poder do seu vento será o mesmo da fala energizada que tiver.
Portanto fale com a energia que quiser que o seu vento tenha como poder.
Para poder jogar palavras ao vento com a energia na fala que desejar receber.
Positiva, negativa,
Ou neutra.

É uma relação delicada e entrosada, que requer a nossa atenção, pois hoje em dia falamos de resultados, otimização, consciência, inteligência emocional, empatia, eficácia, desenvolvimento humano, motivação e várias outras características que prezamos muito e visamos como profissionais, pois o ser humano tem uma natural inclinação à competição, à ambição, ao aprendizado e a conquistar e descobrir. Somos exploradores por natureza. Mas sem a eficiência e a integridade, e o casamento consciente e íntimo dos dois, acabamos por agir de uma maneira externa, fora de nossos eixos, prezando o material e o que os outros visam, e acabamos por perder a nossa conexão com aquela nossa criança viajante da qual falamos.

Voltando a falar sobre minha experiência no exterior com pessoas de todas as idades nos mais diversos contextos culturais, sociais e socioeconômicos, pude observar que a necessidade e a busca natural pelo sucesso, junto com o salto que os avanços tecnológicos deram, que acabaram alterando a velocidade pela qual tudo acontece, desde o aprendizado a distância à possibilidade de comunicação a distância em questão de milissegundos, e as novas tendências do mercado com novos modelos de negócios e um crescimento na população de profissionais autônomos e startups, toda essa globalização que nos fornece as ferramentas necessárias para sermos profissionais de alta *performance* precisa ser dialogada com a nossa criança viajante. A nossa criança viajante tem todo o poder, toda a energia, toda a coragem, a criatividade, a eficiência e a integridade necessária para nos manter no nosso eixo essencial e íntimo, para mantermos uma conexão com a arte de explorar nossos sentidos e vontades como seres humanos, e não máquinas de alta *performance*. A alta *performance* que desejamos – que é natural e que às vezes pode ser difícil de encarar por termos que ser muito afetivos e sinceros com nós mesmos para podermos enxergar com transparência e nos entregar – passa a ser esquecida, e por isso é necessário e urgente nos conscientizar em relação à criança viajante, à integridade e à eficiência. A criança se solta, se entrega, se joga, e chega sempre aonde nosso coração quer. A integridade nos faz agir corretamente, justamente, dentro da essência própria que nossa criança nos permite e conhece, que é a raiz de nossas vontades e desejos, de sentimentos e liberdade de ser. E a eficiência nos mantém com os pés no chão, pois ela é mais racional e, mesmo caminhando com a energia, criatividade e força vital da criança, e a convicção e consciência da integridade, nos mantém atentos às nossas decisões, ações e limitações durante o trajeto. Esse trio nos permite manter um equilíbrio pleno entre o nosso coração, a nossa mente e o que acontece ao nosso redor. Deixo aqui mais um poema de minha autoria para ilustrar essa alta *performance* holística, íntegra, eficiente e essencial:

### Entrega

Entregue.
Entregue um sorriso, um abraço, um olhar.
Entregue uma flor, um conselho, um carinho.
Uma música, um toque, um beijo, ou um mimo.
Entregue o seu tempo. Sua fé e sua alma.
Entregue sua vida.
Entregue-se.
Entregue-se a ele, a ela, aos queridos.
Entregue-se ao amor, ao trabalho, à natureza.
Entregue-se ao vento, ao mar, ao sol.
E à lua também.
Entregue-se.
À integridade, à lealdade, à brincadeira.
Ao silêncio, ao anoitecer, à arte de escutar.
Ao amanhecer, ao saborear, ao caminhar.

## Profissional de alta performance

À sensação de euforia, de espontânea alegria, e à de chorar.
Entregue-se por inteiro de seu íntimo.
De suas vontades e desejos.
Entregue-se ao cantar, ao falar, e ao cuidar.
Ao momento. Ao presente. Ao seu corpo e ao seu lar.
Ao que é novo, ao desafio, ao improvável.
Entregue-se.
Só não se disperse.

Todos sabemos o que é ser criança e como sua pureza é indiscutível, e seu papel como ser lembra qualquer adulto do que é ser feliz, alegre, sincero, transparente, amoroso e leal. Como a criança age impulsivamente e nobremente, com um amor contagiante e um senso da arte de se relacionar que esquecemos quando crescemos e entramos na jornada de alta *performance*. Há de manter um olhar poético, e parar para pensar como éramos, onde estamos e aonde queremos chegar, e como queremos chegar. Esta análise nos permite fazer essa conexão com a criança viajante que age de modo intrínseco. Quantas vezes não paramos para admirar a fala de uma criança, ou observar a maneira que são livres em suas maneiras de agir, de se expressar, de demonstrar seus sentimentos? Quantas vezes não nos orgulhamos de nossos filhos, alunos, sobrinhos, priminhos, filhos do vizinho ou da amiga, ou de simplesmente ver crianças num parquinho curtindo a simplicidade da vida? Uma simplicidade tão complexa que, quando olhada mais a fundo, vemos que é íntegra e eficiente dentro do contexto de cada indivíduo. É necessário ter esse reflexo dentro de nós, e para dentro de nós quando pensamos em ser a nossa melhor versão possível.

E você, na prática, anda se dispersando? Quando marca uma reunião ou toma uma decisão importante em seu negócio, sua carreira, seus relacionamentos interpessoais e intrapessoais, você age de acordo com a sua essência? A sua integridade está falando alto? Sua criança viajante está feliz com a eficiência de seus atos, falas e pensamentos? Será que essa eficiência precisa ser repensada, reavaliada? E na sua vida pessoal, ao acordar e ao se relacionar com seus amigos, colegas de trabalho, família, com sua razão de viver, com seus vizinhos e comunidade, você se sente pleno, capaz e útil de forma íntegra? Você é justo consigo mesmo, sem colocar pressões, cobranças ou achar que não está fazendo o suficiente? Está ou não sendo eficiente? O que o seu íntimo diz? O que sua integridade diz? O que sua criança diz? Tem certeza que ela está aí? Ou será este o momento de buscá-la?

## Capítulo 5

## Simples e produtivo com o método PSA

**Daniela Nazareth**

Para atingir um estado de equilíbrio verdadeiro e altamente produtivo, tenha com você que menos é mais, e não seja tolo!

## Daniela Nazareth

Formação em *Coaching* em maio de 2016 e *Leader Coach* em junho de 2016 pela Escola Cóndor Blanco – Chile. Formação em Terapeuta Holística Reikiana em fevereiro de 2016 pelo SINTH- BA. Numeróloga formada em 2018 pela Escola Brasileira de Linguagem do Corpo e Psicanálise Cristina Cairo – SP. Formação em Thetahealing® em setembro de 2019 pelo THINK - Thetahealing Institute of Knowledge – USA. Pós-graduada em Gestão de Pessoas e Recursos Humanos. Faculdade FARESE – ES. Coautora do livro *Vida em equilíbrio*.

**Contatos**
daniela.snazareth@gmail.com
Instagram: @dani.nazareth
Facebook: @danielanazarethlifecoach
(31) 99999-1122 / (31) 98025-1411

## Daniela Nazareth

Resolvi criar este método depois de dar muitos "murros em ponta de faca", desde então percebi o quanto é mais fácil do que imaginava, e o como eu complicava se eu posso simplificar. A cada tombo, eu levantava e seguia, não vou dizer que entendia o porquê de tudo que acontecia, e pode até parecer clichê, sim, eu realmente valorizava e valorizo minhas experiências e isso só me faz pensar grande. O clique que me fez virar a chave, mudar tudo, começar a produzir mais e ter grandes resultados foi quando eu percebi que estava aplicando em mim o método PSA.

E o que é esse método PSA? Vou explicar neste capítulo e você vai perceber como é simples obter resultados. Antes vou levar você a entender algumas perguntas que já deve ter feito a você mesmo. Caso já tenha feito algum desses questionamentos, você já avançou um pouco mais: quais minhas atitudes no meu dia a dia para ter resultados? Como eu penso? No que eu mais foco? O que faço? O que quero? E como realizar? No que acredito? Qual o meu conhecimento sobre o que quero? Qual o medo? A que ainda eu resisto? Por que não cheguei? O que me impede? Como posso mudar? O que preciso aprender?

Todas as pessoas querem obter: saúde, tempo, boa aparência, conforto, dinheiro, tempo, realizações, popularidade, lazer, diversão, progresso pessoal e profissional.

Todos querem evitar: perda de tempo, perda de dinheiro, muito trabalho, preocupações, riscos, dúvidas, desconforto e embaraço pessoal.

Quando você começa a questionar é porque já não está mais satisfeito com a situação atual e busca suas respostas, foi o que fiz, saí da zona de conforto e descobri o grande barato da vida "ser especial", o meu poder único, a minha forma de fazer acontecer, sem competir com os outros, daí então iniciei a minha jornada de fazer o que eu posso fazer, com as possibilidades que eu tenho e que posso criar para que eu consiga crescer verdadeiramente e tocar a minha vida.

Antes de você começar a aplicar este método, quero saber se está preparado para iniciar esta jornada? Ou é apenas mais conhecimentos que você quer adquirir e não aplicar, aquele ego gritando, sabe?

O objetivo é tornar o método PSA um novo bom hábito para sua vida, e para começar é importante entender estes três passos:

**P** (pensar)
**S** (sentir)
**A** (agir)

Sabemos que "o pensamento gera um sentimento que leva você à ação". E é por aí que você vai começar a trabalhar em você esse conceito. É importante trabalhar o P (pensar), eliminando o que não serve mais para você, e o primeiro passo para essa limpeza é sair do ciclo de escassez.

## O que é o ciclo da escassez?

O ciclo da escassez são coisas que impedem de atrair a abundância para você. Como sabe se está no ciclo da escassez?

1. Você está no ciclo da escassez quando você acredita que precisa competir. Não é preciso competir com nada nem ninguém, em vez de olhar para o resultado do outro, olhe para dentro e ouça o chamado da sua alma, isso vai fazer enxergar o seu caminho.

2. Você está no ciclo da escassez quando você acredita que uma hora os recursos acabarão. Na Bíblia, diz: "Ainda que eu ande pelo vale da sombra da morte, eu não temerei mal algum". O mundo é abundante, seus pensamentos geram aquilo que você foca. Se está com medo de algo, pesquise sobre o assunto porque o medo é apenas falta de conhecimento sobre algo.

3. Você está no ciclo da escassez quando você acredita que precisa acumular. Acumular não só coisas materiais, como pensamento do passado. Limpe suas influências negativas do passado.

4. Você está no ciclo da escassez quando está lutando para sobreviver, com a sensação de "quanto mais esforço com o trabalho, mais vou ter". Se tudo para você é muito difícil, essa atitude mostra que você está se punido e vibrando na dor, vibre na energia do amor e as coisas acontecem

de uma forma rápida e leve. Já ouviu que o amor cura? A sua relação com o dinheiro é apenas um reflexo da sua relação com você e o que existe no seu inconsciente. Pode ser autossabotagem, saiba que a abundância é um estado de fluxo que você dá e recebe.

O seu corpo guarda emoções por diversos órgãos, isso acontece no seu subconsciente, que cria sentimentos que limitam você de chegar aonde quer, e nesse caso já começa a trabalhar o S (sentir), aprendendo a lidar com suas emoções, e para isso é preciso treinar sua inteligência emocional.

## Como treinar minha inteligência emocional?

A partir do momento que assume a autorresponsabilidade pelas coisas que acontecem com você, passa a treinar a sua inteligência emocional. Você pode usar a sua inteligência emocional para construir o que quiser. E é a sua inteligência emocional que vai levá-lo à ação.

1. Pratique tomar consciência do que você sente quando você diz algo, perceba qual sensação você tem ao dizer, se está leve ou pesado.

2. Saiba quanto tempo dura suas reações às adversidades, o que motiva ou desanima.

3. Procure tomar consciência do que você sente quando toma alguma decisão. Qual sentimento vem à tona? Satisfação, alegria, medo, culpa? Isso vai fazer você tomar decisões mais assertivas.

4. Limpe suas crenças limitantes, é importante limpar suas crenças para liberar o seu caminho. Algumas crenças que impedem seu sucesso: não sou bom o suficiente; não vou ter sucesso; sucesso é só para quem é de uma determinada forma.

Tudo isso cria a sua realidade e estabelece uma frequência vibratória no seu coração. E quando você limpa essas emoções e crenças, você entra em uma nova vibração, você se permite dar um salto e atrai as coisas com mais facilidade. Para toda crença limitante, existe alguma razão, que empodera, que protege, que traz algum benefício (ganhos terceiros), senão você não teria essa crença. Quanto mais você se conhece e limpa suas crenças, menos pedras no seu caminho terá.

Existem alguns comportamentos que você só precisa aceitar e vai parar de se sabotar, simples assim. Algumas pessoas acreditam que a autossabotagem é procrastinar, porém a procrastinação é apenas um dos pontos da autossabotagem. A autossabotagem é você se colocar no seu caminho para impedi-lo de fazer o que tem de ser feito, mesmo que você esteja fazendo. É uma forma de manifestar o medo inconsciente que impede você de se realizar, de ter o que deseja. E a partir do momento que você aprende a lidar com esses medos, você deixa de se sabotar, é agora que você começa a desenvolver o A (agir) do nosso método.

### Como é trabalhar esses medos?

Dando um passo de cada vez, você elimina vários medos: medo de falhar, medo de dar certo, medo do desconhecido, medo da rejeição.

Algo que dá muito certo é você escolher um objetivo de cada vez e cada dia decidir três novas ações que vai realizar para chegar mais próximo desse objetivo. Cada ação deve ser a mais detalhada possível para a sua mente sentir que é fácil de realizar.

Outra forma de trabalhar seus medos é expandir sua zona de conforto. Você começa ter novos resultados quando torna positiva a sua zona de conforto, e como fazer a zona de conforto trabalhar ao meu favor? A partir do momento que suas ações tornam-se confortáveis e familiares para você, se sente à vontade a realizar seus projetos. Para tornar os hábitos mais confortáveis, pense sobre estas perguntas (quanto mais detalhar, mais fácil será): quais são as características que tenho hoje que vai me apoiar nesse objetivo? O que me falta para conquistar esse objetivo? Quais as três atitudes que preciso eliminar ou diminuir para chegar a meu objetivo? O que mais me atrapalha hoje?

Ao detectar suas atitudes que atrapalham e as que conectam com seu objetivo, você trata seus medos e fortalece seu caminho até a realização. Se você muda uma atitude, você pode mudar muito a sua vida.

Saiba o porquê: uma meta/um foco/um desafio. Construa um cenário de como seria a sua nova vida. Para conseguir o que você quer, precisa se livrar do que acha que já tem. A solução é alimentar o seu presente enquanto você constrói o seu futuro. Quando você tem um objetivo bem definido e coloca toda a energia nele, o resultado dessa dedicação acaba aparecendo.

Um ponto significativo para tornar simples todo esse processo é aceitar sua realidade de hoje, porque você não pode mudar o que já aconteceu até aqui.

As pessoas hoje se motivam pela culpa, mas a culpa torna tudo mais difícil e pesado, por isso é importante assumir o controle sem culpa, porque assim você faz pelos motivos certos, com consciência, e não movido por medo, culpa ou castigo.

Aceitar para mudar, criar algo que realmente você quer. O seu subconsciente vai colocar você onde quer de acordo com aquilo que sente e gera uma vibração. Quando você aceita e se perdoa, muda a sua realidade e constrói tudo que quer em qualquer área da sua vida.

Se errar, se acolha e continue, crie soluções, e seu nível de crescimento passa a ser infinito, porque você não se alimenta mais com a culpa. Seu cérebro tem um mecanismo de aprendizagem por hábitos, então quando você elimina seus maus hábitos, você libera espaço para criar bons hábitos.

Quando você instala um hábito novo, seu cérebro vira a chave. Uma pergunta que sempre funciona na hora das adversidades é "o que estou aprendendo com essa situação?". Essa pergunta faz seu subconsciente exercitar a sua vibração positiva e de realização.

Para manifestar algo em sua vida, você precisa colocar toda a sua energia sob seu controle. Você só pode mudar a partir do momento que aceita e assume o controle, a partir daí você começa a criar possibilidades e atitudes que irão montar sua nova realidade.

Quanto mais você cria oportunidades, mais produtivo será o seu caminho, e terá mais resultados nesse caminho. Isso é ter poder pessoal, assumir 100% a sua vida, sem dar desculpas, sem esperar nada nem ninguém.

Você vai saber que evoluiu quando atingir o ponto do não retorno.

## Capítulo 6

### Sem estratégia nada acontece

**Daniele Marina Ribeiro de Oliveira**

Profissional de alta *performance* é aquele que planeja, enfrenta constantemente o medo, persiste e tem iniciativa para mudança sempre. Aqui, trataremos dos assuntos: planejamento, medo, iniciativa, persistência e flexibilidade.

## Daniele Marina Ribeiro de Oliveira

*Master Coach* pelo Instituto Brasileiro de Coaching (IBC), European Coaching Association (ECA), Global Coaching Community (GCC), International Association of Coaching Institutes, Hipnose Ericksoniana e *Professional & Self Coaching* (IBC). Analista comportamental (IBC). *Leader coach* – treinamento em equipes e habilidades em liderança em grupo e empresarial pelo IBC. European Coaching Association e Behavioral Coaching Institute, Global Coaching Community (GCC) e International Association of Coaching (IAC). *Practitioner* em PNL (Programação Neurolinguística), ACADE – Centro de Excelência, International High Performance Associations (IHPA). Terapeuta Floral pelo Instituto RS Saúde – BA. Pedagoga pela Universidade Estadual do Norte do Paraná – UEMP. Bacharel em Administração de Empresas. Especialização em Psicopedagogia Clínica, Orientação Educacional e Sistema de Informação Gerencial pela FACED.

**Contatos**
danimarinacoach@hotmail.com
Instagram: @daniele.m.oliveira.coach
(43) 99107-0717

## Planejamento, muito falado e pouco usado

Planejamento é a arte de colocar no papel suas metas, objetivos, de maneira minuciosa, organizada, entre tempo, espaço e recursos a fim de obter um resultado estruturado e adequado ao que se imaginou a princípio.

A arte de planejar não é assim tão simples quanto parece, e é tratada como se fosse. As pessoas pensam, imaginam como querem fazer acontecer determinadas coisas na vida e acreditam que então está tudo planejado. No entanto, há de se considerar que existem estratégias, meios e sistemática para isso. Uma delas é escrever em um papel o objetivo geral e o objetivo específico. Inicialmente é preciso escrever o objetivo principal, geral, do que quer atingir, ou seja, esse é o passo para decidir o que se pretende no final, o que quer atingir sem rodeios, máscaras ou qualquer relutância, sem reservas. Qual a intenção, o que inspira você, o que move sua vida. Qual é seu objetivo geral? O que você quer? Aonde quer chegar?

O segundo passo será esmiuçar cada ato a ser feito especificando o elemento exato, então esse é o objetivo específico. Isso pode ser feito por áreas separadamente, para cada campo colocar exatamente que espaço ela corresponde, se financeira, familiar, saúde, relacionamentos, espiritual, amorosa, social etc. Essa é a hora de indagar comportamentos, ações, meios, recursos necessários, caminhos para chegar aonde deseja. O que você ganha ao chegar a objetivo? Quem mais ganha ao realizar esse objetivo? Quem perde? Quais habilidades são necessárias? Quais consequências?

É necessário olhar para trás, perceber-se, para então ousar. Não se pode encarar um objetivo sem conhecer suas próprias habilidades e seus próprios recursos. Algumas questões de autoconhecimento são essenciais: o que você faz bem-feito até de olho fechado? Sua capacidade de liderança o conduz para resultados esperados? Qual seu perfil comportamental, comunicador, executor, planejador ou analista? Para atingir seu objetivo principal, qual perfil será necessário? Quem são as pessoas envolvidas nesse processo? Quais recursos serão necessários, materiais, físicos, pessoais e financeiros? Qual meio eficaz será utilizado para levantamento desses recursos?

Destaco a importância do planejamento quando já na primeira pergunta a resposta não vem de pronto, sempre vai existir algo que só mentalmente dificultará a realidade do projeto. Fica claro, então, que planejar é o primeiro passo para o desenvolvimento da competência, habilidade e desempenho do progresso, e só então é possível passar à próxima etapa.

### Vencer o medo é vencer a si mesmo

Na sequência das atuações essenciais para a alta *performance*, conhecer seus limites é uma tarefa imprescindível. Saber o que inibe suas iniciativas e ações fará com que suas ações sejam mais efetivas. O medo é um componente a ser levado a sério. Qual medo permeia e intimida a ponto de paralisar você?

Diana era uma mulher simpática, médica experiente e cheia de projetos em mente, mas havia sofrido uma decepção amorosa gigante, o que destruiu sua identidade emocional, e sua autoestima ficou abalada. Muito competente no trabalho, mas o fato de estar sofrendo abalou sua meritocracia, queria fazer uma nova especialização, mas se sentia incapaz, o medo tomou conta dela a ponto de achar que tinha crises de pânico. Só depois de uma reconstrução emocional conseguiu dar o primeiro de muitos outros passos para não só fazer a especialização desejada como montar sua clínica e ser destaque na sua profissão, recuperou a autoestima e automaticamente recuperou o mérito de saber e se ver capaz de realizar o que se propõe.

A história de Diana não é diferente de muitas pessoas, que após uma frustração se instala na mente uma mensagem incapacitante, "você não pode", "você não merece" ou "você não consegue". A parte estratégica é vencer o que limita você, e descobrir qual é o seu maior medo. Pode ser medo da não aceitação, medo de acharem você ridículo, medo de rirem do seu projeto, medo de ouvir um não referente a sua ideia, medo de não agradar etc. Existem muitos medos a serem tratados dentro de cada um para ser um profissional de alta *performance*.

Monstros atacam a mente mentindo o dia inteiro sobre sua capacidade, sobre sua identidade e sobre o que você merece ou não na vida. Como lidar com eles? É preciso ter certeza de quem você é para então conversar com o medo e ter argumentos para lidar com ele. Essa é a melhor estratégia, uma conversa interna, descrevendo seus pontos fortes, fracos, melhorias e aprimoramentos comportamentais a serem realizados, vivenciar as experiências, lembrar de fatos ocorridos e como você foi resiliente na vida conquistando cada etapa, lembrar da sua própria história de vida em pensamento e manter a percepção do quanto lutou para estar onde está. Mas é muito difícil falar com si mesmo quando não se acredita mais, quando não existe autoconhecimento ou quando se acha o mais fracassado dos fracassados. Medo todos têm, encontre seu recurso interno de poder para enfrentar a si mesmo.

### O novo vem para quem se mexe

Iniciativa nem sempre é nato, tem muito a ver com personalidade. Mas personalidade é a "máscara" que mostramos aos outros, uma estratégia para esconder algum aspecto interno. Quando se tem a percepção do comportamento incoerente e que é o que limita você a ser melhor, ele pode, sim, ser mudado. Quando é levado à consciência que esse jeito de ser e pensar é ruim para seu autodesenvolvimento, e isso é sentido e percebido pela própria pessoa sem ter vindo de crítica, pode ser o meio de iniciar uma mudança, nesse aspecto as técnicas de coaching são fundamentais, elas usam a conscientização do que se deve mudar em si mesmo e não um apontamento de defeitos que travam ainda mais a mente consciente para a transformação, por isso que há transformação durante o processo de coaching, e esse pode ser até mais rápido do que terapias. Muitas pessoas mudam por sentirem a necessidade de melhorar a aceitação social, ou por decidirem ser mais comunicativas, mais corajosas, entre outros motivos que são bem intrínsecos. O fato é que a falta de iniciativa tolhe o desenvolvimento de qualquer projeto de vida.

Pessoas sem iniciativa possuem uma mensagem em suas mentes de que "não vão dar certo", por isso nem tentam. Depois dessa percepção para que haja maior desenvolvimento no potencial e a ação passe a ser prioridade na vida dessas pessoas, elas precisam insistir na ideia que "pode dar certo, sim" e traçar direito o caminho dessa ação. Nesse caso, a persistência deverá andar de mãos dadas com a ação, já que quem não é uma pessoa com iniciativa muitas vezes também não é uma pessoa persistente. Da mesma maneira que em sua vida, através de projetos frustrados, críticas, apontamentos marcaram em sua mente a falta de capacidade, o caminho inverso será realizado, fazendo, fazendo, fazendo para mostrar à própria mente insistente que o caminho contrário também poderá ser marcado dentro do cérebro, ou seja, acionando gatilhos positivos. Técnicas de PNL fazem com excelência esse trabalho. Essa especialidade utiliza as emoções contrárias já gravadas na mente e fazem uma regravação, explorando sentimentos de excitação, euforia, recompensa para regravar os de frustração e fracasso. Sensações de realização e de conquista tornam a pessoa mais determinada.

### Tudo pode mudar em questão de segundos

Por fim, para se ter uma alta *performance* profissional é preciso assegurar de que nada é estático, tudo está em constante movimento. Ser flexível é fundamental. Manter travas mentais como "eu disse que só faço desse jeito" é um dos piores caminhos a se considerar. É preciso estar aberto para novos conhecimentos sempre, romper paradigmas, pensar fora da caixa, mudar de opinião, ceder, pedir perdão, perdoar, se exaltar e se humilhar na medida e na maneira corretas. Esse conjunto de estratégias transformará você em um profissional competente, para se destacar com verdadeiro primor.

Uma mente brilhante é uma mente pronta para voltar atrás sem preconceito. Uma mente brilhante aponta para os objetivos, limpa as passagens do próprio ego com coragem e não se intimida com qualquer obstáculo.

**Referências**

GERBER, Michael. E. *Empreender fazendo a diferença*. Fundamento: São Paulo, 2004.

BURCHARD, Brendon. *O poder da alta performance: os hábitos que tornam as pessoas extraordinárias*. Tradução de Bruno Fiuza. Rio de Janeiro: Objetiva, 2018.

SCHULTZ, Howard. *Dedique-se de coração. Como a Starbucks se tornou uma grande empresa de xícara em xícara.* São Paulo: Negócio Editora, 1999.

## Capítulo 7

### Nova era, nova versão de profissional

**Denise Marsura**

No atual contexto do mercado de trabalho no mundo, especialmente no Brasil, a busca de novas oportunidades está em plena mutação e muito se ouve falar sobre as novas tecnologias como Inteligência Artificial, *Internet* das Coisas, *Big Data*, Manufatura Aditiva, Robótica Colaborativa, entre outros.

## Denise Marsura

Formação técnica em Administração de Empresas, graduada em Gestão de Pessoas, com especialização na área de Recursos Humanos. Analista comportamental e *coach* formada pelo IBC (Instituto Brasileiro de Coaching). Está há 18 anos na área de desenvolvimento humano. Sócia-proprietária da Committee Gestão de Recursos Humanos e Business Partner de Recursos Humanos. Atuação em treinamento de liderança comportamental pelo IMAP Brasil.

**Contatos**
denise.marsura@committee.com.br
(21) 96413-5222

A Quarta Revolução Industrial está caminhando a passos largos e ganhando cada vez mais destaque. Portanto, as novas tecnologias, a economia disruptiva e a Quarta Revolução Industrial estão impactando diretamente as relações e a força de trabalho, sabendo que no futuro mais de 60% da força de trabalho irá desempenhar funções completamente novas e que não existem atualmente. A América Latina está alguns anos atrás da fronteira dessas tendências, mas já estamos experimentando e testando essas realidades que estão se tornando cada vez mais popularizadas no mundo dos negócios.

No contexto pessoal, inteligência social, adaptabilidade, criatividade, inovação e a *Lifelong Learning* (aprendizagem constante) ganham forças.

O autoconhecimento, que sempre foi necessário, agora é essencial já que a revolução que vivemos não é só digital, mas também comportamental.

Baseada nessas habilidades, pode-se inferir que o que vai existir é a criação de novas atividades menos centradas nas tarefas operacionais e mais focadas nas habilidades que o profissional agregar para o resultado. A maioria das discussões sobre o futuro do trabalho se concentra na implementação da Inteligência Artificial e da robótica para redução de custos e automatização das tarefas.

Para desempenhar uma atividade nesse novo mercado onde tanto se fala em indústrias 4.0, será necessária a transformação dos trabalhadores em profissionais versão 5.0.

Uma das mudanças já em andamento é o trabalho de *freelance* ou sob demanda, denominada como Gig Economy, é o resultado da flexibilização do mercado de trabalho diante da era digital. E o termo também reflete o surgimento de aplicativos e plataformas, que contratam profissionais sob demanda para atividades específicas e de curta duração.

Mas algumas características humanas, como percepção, inteligência social e criatividade, são habilidades que as máquinas não dominam no atual estágio de desenvolvimento da Inteligência Artificial (IA).

A Inteligência Artificial, *Internet* das Coisas, robôs criados com expressões faciais quase humanas e multitarefas já fazem parte da nossa realidade.

Diante da era da transformação nas empresas, onde as necessidades de mudanças de cultura comportamental e de estrutura se fazem cada vez mais presentes, é importante que os profissionais estejam atentos às atitudes que garantam excelência no trabalho e que o qualificam de forma positiva.

Vivemos tempos líquidos, tornar-se obsoleto é muito mais rápido do que na década passada. O desafio é muito grande e exigirá uma mudança de *mindset*, ou seja, na nossa maneira de pensar, acreditando ser capaz de expandir nossa mente para novos conhecimentos, novos comportamentos.

## Alta *performance* como estilo de vida

Profissionais de alta *performance* é o estilo de vida de quem quer manifestar sua melhor versão. Viver em alta *performance* não é apenas mostrar mais resultados no trabalho, ou tornar seu tempo mais produtivo. Alta *performance* é um estado de equilíbrio pessoal e profissional altamente produtivo, onde a qualidade de vida é preservada.

Para se ter uma vida em alta *performance*, antes de tudo, é preciso saber aonde você quer chegar. As gerações Y e Z são movidas por desafios e precisam de metas para manter-se no foco, para que possam superar e mostrar sua capacidade de entrega e realização.

O planejamento é um dos pilares do alto desempenho, pois os profissionais de alta *performance* possuem agendas e listas de tarefas para ajudá-los a navegar nas obrigações e demandas da vida. Para quem pretende viver em alta *performance*, é preciso gerenciar ativamente o tempo e fugir do desperdício. Um exemplo clássico de desperdício são reuniões sem pauta definida ou hora para acabar. Ferramentas como Google Agenda, Trello e Evernote foram criadas para facilitar e agilizar a sua vida. Use-as. Crie despertadores para avisar você dos compromissos e deixe sua mente trabalhar no que realmente importa. "Estar ocupado não é o mesmo que ser produtivo." (Tim Ferris)

## Como ser um profissional de alta *performance* versão 5.0

Para ser um profissional de alta *performance* 5.0 e melhorar o desempenho no trabalho, você deve ter a capacidade de definir prioridades e separar o relevante do irrelevante, ao enfrentar as muitas tarefas do dia.

Você também deve possuir um senso de urgência e desenvolver a capacidade de fazer o trabalho rapidamente, mantendo um nível ideal de qualidade, tese confirmada por vários colegas gestores com quem trabalho diariamente. Eles atribuem um valor extraordinariamente alto a uma pessoa que pode definir prioridades e agir rapidamente para realizar o trabalho.

Seja um perito no que faz. O que diferencia um perito dos demais profissionais é seu enorme conhecimento e seu hábito de continuar aprendendo, e isso tem tudo a ver com alta *performance*! A mentalidade do perito é a chave para manter uma vida extremamente produtiva.

A velocidade e a confiabilidade na conclusão do trabalho é um dos traços mais valorizados da força de trabalho. Quando o gestor puder lhe entregar uma tarefa e então se afastar e não se preocupar com isso novamente, você terá se encaminhado para a lista de profissionais indispensáveis para uma organização.

Outra maneira de ser um profissional de alta *performance* é desenvolver uma atitude mental positiva, ou seja, *mindset* crescente. As pessoas gostam de estar por perto e de promover os funcionários que gostam, ou que de alguma forma se identificam. Todo mundo rapidamente percebe uma atitude consistente e persistente de alegria e otimismo. Quando você se esforça para cultivar uma atitude de amizade para com as pessoas, elas farão esforços extraordinários para abrir portas para você.

Melhore o desempenho no trabalho atualizando continuamente suas habilidades relacionadas às suas funções diretas e indiretas. Procure cursos adicionais que você pode fazer para melhorar seu trabalho e discuta sobre esses cursos com seus colegas e seu gestor, proporcionando a troca e o compartilhamento de conhecimentos, debatendo novas ideias. Acredite! Você agrega valor como profissional.

Uma dica para quem vive com pouco tempo é: leia algo novo todos os dias. Tente ler pelo menos um artigo relevante sobre sua área de atuação. Acesse um blog, um site ou portal de notícias e se mantenha informado. Crie o hábito da leitura de livros para desenvolvimento do nível intelectual, e optar por cursos a distância de instituições sérias e renomadas poderá ajudá-lo a incrementar seu currículo.

Certamente, 85% do seu sucesso no mundo do trabalho virá da sua personalidade e da sua capacidade de se comunicar efetivamente com os outros. Isso é determinado pelo quanto as pessoas o admiram e o respeitam.

Você pode melhorar muito a forma como outras pessoas percebem você, procurando continuamente maneiras de aumentar a autoestima de seus colegas durante todo o dia de trabalho. Um pouco de genuíno elogio e apreciação fará com que as pessoas estimem e queiram mantê-lo por perto. Uma pessoa simpática, sem ser forçada, é frequentemente percebida como sendo melhor naquilo que faz do que uma pessoa com uma personalidade negativa. Essa também é uma ótima maneira de mostrar o seu marketing pessoal.

Em reuniões, ou conversas com seus superiores, faça uma prática de ouvir na essência, com respeito, atenção, interesse, e mantenha muito cuidado com a linguagem corporal que externará, porque ela demonstrará muito sobre você. Se você escutar com honestidade e sinceridade a outra pessoa, mais ela vai gostar de você, e querer sua ajuda e lhe confiara mais responsabilidades.

Você também pode e deve aprender sobre as experiências de vida dos colegas de trabalho e desenvolver uma rede profunda de conexão durante os intervalos, "coffee" e almoço. O lugar mais importante para você construir suas relações profissionais é onde você está agora! O principal *networking* é na sua empresa atual.

Tente identificar a hora que você é mais produtivo, como, por exemplo, no período da manhã, então programe seu trabalho criativo para antes do almoço. Depois do almoço, responda a e-mails essenciais, realize reuniões e conclua tarefas administrativas. Você perceberá maior fluidez após colocar em prática sua mente criativa.

Como falamos anteriormente, a capacidade de estar constantemente atualizado é uma das práticas mais importantes para quem está em busca de ser um profissional de alta *performance*. Afinal, as demais habilidades pouco valem se você não entregar os resultados. Foco nos seus objetivos, atitude e boas realizações!

## Quem são os profissionais e quais são as habilidades e aptidões do profissional de alta *performance* 5.0?

Os profissionais de alta *performance* versão 5.0 são indivíduos com formação multidisciplinar e flexível, com domínio de novas ferramentas, idiomas e competências emocionais. Eles são capazes de se adaptarem facilmente a uma nova cultura de negócios e habilitados socialmente para desempenhar trabalhos colaborativos.

A flexibilidade está intrínseca, ainda, à possibilidade de funcionários ficarem mais disponíveis ao *core business* da empresa. Isso é resultado também da execução multitarefa e de processos cada vez mais eficientes.

Esse profissional precisa ser criativo, pensar fora da caixa, ter senso de urgência na resolução dos problemas e visão sistêmica da empresa. Deverá manter um bom relacionamento interpessoal. Aptidões decisórias serão um diferencial do profissional que consegue assegurar reações sociais e emocionais, no âmbito organizacional. Tudo por meio de trabalho em equipe, ações colaborativas e atividades compartilhadas.

É importante saber ouvir o feedback do seu líder sem prejulgamentos e entender quais aspectos do seu trabalho são positivos e quais podem ser aprimorados para melhor resultado.

Os profissionais com alto desempenho são proativos, têm iniciativa ao fazer não só aquilo que lhe é pedido, mas, sim, tudo o que precisa ser feito. Dessa forma, demonstra que é capaz de analisar o trabalho como um todo e de pensar de forma estratégica, prevendo os próximos passos e diminuindo riscos.

Profissionais que buscam alta *performance* realizam as tarefas com excelência, dedicação e disciplina. Esses atributos reunidos são de extrema importância para quem busca ser o melhor naquilo que faz.

Em um mundo tão veloz quanto o nosso, é preciso estar apto às mudanças e aos novos modos de operação. É normal ao ser humano se sentir desconfortável diante de mudanças muito bruscas, mas, ao entender que são melhorias e que os processos são adaptáveis, a alta *performance* no trabalho irá despontar.

O desenvolvimento da Inteligência Emocional é a principal competência do profissional 5.0. Nem sempre é possível trabalhar apenas ao lado de pessoas que gostamos ou fazer apenas as tarefas que consideramos agradáveis. Assim como na vida social, no ambiente de trabalho também é preciso saber lidar com as situações adversas, não se deixando influenciar pelo pessimismo e outros sentimentos que não o ajudarão a crescer; estar preparado para o diálogo, para ouvir novas ideias ou contrariedades, é fundamental no ambiente corporativo. Aliado à inteligência emocional, o trabalho em equipe flui e apresenta resultados satisfatórios para o funcionário e para a empresa.

É fundamental reforçarmos que a cabeça pensante, o acolhimento, sensibilidade, empatia sempre serão do ser humano e esses são e sempre serão seus diferenciais. Atitude é o que move, movimente, realize e conquiste!

## Capítulo 8

### Confissões de um indivíduo de alta performance criativo nato

Di Magalhães

Neste artigo, escrevo sobre as sinas de um indivíduo de alta *performance* criativo nato. Como se dão as disrupções criativas de tempos em tempos. Como ele sente e interage com o mundo e com as pessoas, e como o mundo e as pessoas interagem com ele. Para entender melhor nossa angústia, assista: *Um Homem de Sorte*, de Bille August; *Mestre dos Gênios*, de Michael Grandage, e *O Homem que Viu o Infinito*, de Malt Brown.

## Di Magalhães

Profissional de alta *performance* criativa, nata. CEO da Desenvolve Brasil, Diretoria de Desenvolvimento Econômico da Região Sudoeste da Grande São Paulo. Cientista social, sonhadora, produtora tecnológica. Autora: Sistema de Empreendedorismo Colaborativo, Empresas IS, Gestão Seguro Ambiental, Indústria de Materiais Recicláveis e Reutilizáveis, Cidades Colaborativas, Parque das Nações, Educação Criativa.

**Contatos**
www.desenvolvebr.com.br
dimagalhaes@desenvolvebr.com.br
(11) 98806-7088

Di Magalhães

Não encontrei uma pesquisa sobre os indivíduos de alta *performances* natos, os indivíduos que nascem inovadores, por isso tomo o indicador dos empreendedores natos como referência. Segundo a Endeavor, o Brasil "conta com 36 milhões de empreendedores, desses não se conta 10 mil natos, o que significa um percentual igual a 0,0277. Eles são muito mais raros que o talento de um Pelé". Olhando a produção de inovação da humanidade, podemos dividir esse percentual por 10 mil: 0,00000277. Mais raros que o talento de um Leonardo Da Vinci.

Por que isso acontece até hoje? Primeiro pela forma de civilizar os indivíduos, empacotando-os em padrões preestabelecidos desde o nascimento. Segundo, pelo medo e a inconveniência do novo para os donos do poder. Pela capacidade de criar produtos (novos mundos) na mesma velocidade de tornar outros obsoletos. Como lucrar numa economia tão volátil? Para os donos do capital, isto é erroneamente assustador. Eles não sabem que os inovadores trabalham na solução de problemas e na inexorável evolução.

**De gênio e louco todo mundo tem um pouco, alguns têm muito**

Dizia Picasso: "A coisa mais importante é criar", "Nada mais importa, a criação é tudo". Assim como os indivíduos "normais", os inovadores lutam para se enquadrar, para produzir mais e melhor em sociedades engessadas que seguem a multidão, repetem conceitos, mas esses inovadores não conseguem nem se anular por completo. Porque a sua sina é trilhar rumos completamente diferentes, muitas vezes opostos ao senso comum. Por isso, a incompreensão, por isso muitos são reconhecidos só após a sua morte.

Viver fora da caixa é difícil. Muitas vezes temos que nos apequenar para enquadrar, para sermos aceitos. Muitas vezes somos rotulados como "sonhadores" de forma pejorativa. Vivemos no limiar da sanidade, quase não suportamos tanta mediocridade. Nós não vemos o mundo da mesma forma que as "pessoas normais", para nós tudo é fácil, cada problema tem no mínimo cinco soluções, tudo está em constante transformação. Não fechamos nunca. Quando desafiados por uma ideia, somos capazes de trabalhar ininterruptamente muitas horas seguidas até vermos a "solução" e, logo depois, desconstruímos tudo, estamos em completa metamorfose. Sentimos felicidade no caos, não na resposta. O "tesão" é criar, recriar, parir – mesmo que com dor – o tempo todo.

### Não posso com tanto espaço

Para nós, o mundo é tão grande, com tantas possibilidades nos sentimos uns ETs frente a "verdades absolutas". Não sabemos nos comunicar de forma convencional, trazemos em nossos cérebros um mundo de associações. Praticamente só sentimos. Vemos as plantas crescendo, as pessoas envelhecendo, os produtos perecendo, uma nova ordem se estabelecendo, não existe ponto final. É quase uma dor, mas é assim que nos sentimos vivos.

Entendo como Da Vinci conseguia transitar pelas ciências, engenharias, artes e futurismo em suas criações. Porque a criatividade está associada à independência de pensamento, à persistência, à curiosidade, à ousadia, ao inconformismo e, mais do que tudo, está associada à flexibilidade e à capacidade de aceitar conceitos novos. Às vezes sinto que não posso com tanto espaço, porque percebo tudo e tenho que viver de forma catatônica a rotina do dia a dia, porque nesta sociedade sou um zero à esquerda.

### Convivendo com o medo do "novo"

Profissional de alta *performance* para mim não é o que reproduz mais para o sistema, esse pode ser um eficiente operário de fábrica. Profissional de alta *performance* é o que produz mais para a humanidade, os que criam mais, os que mudam o mundo. Os que pensam por si, os que são capazes de ter pensamentos próprios, originais. Não quer dizer que saiba ganhar dinheiro. Lembre-se de muitos inovadores como: Van Gogh, Nikola Tesla, Rembrandt, Oscar Wilde, Franz Schubert, Johannes Gutenberg, Aleijadinho, entre outros gigantes da história, morreram na miséria.

Criando constantemente os mundos novos que sinto, fui vendo, com o passar do tempo, que estou exatos 15 anos à frente. Ou seja, tudo que crio hoje vai acontecer mais ou menos nesse espaço de tempo. Por quê? Não sei. Para mim, era natural ver o avanço da tecnologia, quando esta estava ainda engatinhando. Criava projetos dizendo que ia se conectar dessa e daquela forma, sem existir os recursos tecnológicos na época. Brinco que criei a internet das coisas, o Facebook, as redes sociais, o banco digital, os bitcoins. Porque projetos criados em 1995 já previam essa conectividade. Eu explicava com muita energia como os sistemas se interligariam para pessoas céticas, técnicas, incrédulas, incapazes de imaginar. Mas não desistia. Imagino como Da Vinci explicava o helicóptero em sua época. Devia ser divertido.

Aprendi a conviver com o medo das pessoas do novo desde muito cedo. Quando criança, fui autodidata, com 4 anos me alfabetizei. E, assim, quando entrei na escola, já sabia ler e escrever. Para a escola da época, era um gênio, nos anos seguintes tive que manter a fama, então escola nunca foi problema. Mas no mundo real era humilhada como "sabichona".

### Solidão

A sensação de incompreensão me acompanhou por grande parte da vida, a vontade de ser igual. A frase "tudo é fácil para você", atrapalhou minha vida durante um bom tempo. Com 17 anos, passei na Fuvest, quem é da época sabe como era difícil, não contei para ninguém, deixei o prazo de matrícula passar. Tinha a sensação de vergonha ao invés de orgulho, tinha medo de perder os meus. Eu me sentia literalmente um ET. Até os 23 anos foi assim, depois, graças a uma psicóloga, entendi que precisava assumir minha vida, minha genialidade, e rompi com tudo. Eu me divorciei do namorado que tinha desde os 16 anos e com quem estava casada há dois anos, fiz faculdade de ciências sociais, comprei meu carro zero, morei sozinha, fui uma das primeiras gerentes (mulher) de banco da época, tive minha primeira empresa. Mas como previa, me distanciei dos meus. Minhas irmãs se casaram, tiveram filhos e eu era a revolucionária, usava minissaias combinando com a calcinha, tinha namorados gatos, carros com teto solar, frequentava a Runner (academia), morava em Moema (SP), tinha uma Vespa, estava sempre bronzeada. Mas nada tinha mudado no campo intelectual, ainda tinha que me apequenar, agora muito mais, pois meu mundo era muito maior e enfrentava homens adultos, gerentes homens que não se conformavam de haver uma mulher, segundo eles sem responsabilidade (família, filhos), ganhando o mesmo que eles. Chegaram a me perguntar porque eu não pedia demissão. Era uma guerra. Quanto mais facilmente eu levava a carreira, na sua imensa rotina, que tirava de letra, mas me sentia acuada, obrigada a um

Profissional de alta performance

mundo de mesmice. Nada dava conta da velocidade de criação que atingi com 25 anos. A solidão criativa era imensa, a falta de contato com o mundo era grande, não existia internet, redes sociais, as pessoas estavam ilhadas em seus mundos. O meu era muito pequeno, meus colegas de faculdade, sociólogos, me discriminavam porque trabalhava num banco. Meus colegas do banco me discriminavam porque era uma revolucionária que andava de Vespa. Fora os pejorativos por ser divorciada. Na década de 1990, cansada de me apequenar para caber nos mundos que frequentava, saí dali correndo, pedi demissão como presente de aniversário de 30 anos. Dali fui trabalhar numa empresa de gestão de grandes fortunas, ainda sob as rédeas do adestramento de anos no mercado financeiro. Mas nessa época minha cabeça explodia, nada, nenhum trabalho, problema ou desafio dava conta da minha cabeça, a vida era um tédio, não conseguia extravasar tanta sensibilidade, tanta energia, tanto sonho. Mas, sem um mentor, comecei a procurar desafios, e, em vez de partir para os meus projetos, migrei para o ramo da publicidade, achava que criar com hora marcada preencheria minha mente e minha vida. Por um tempo, foi gratificante, mas depois virou rotina. E entendi que estava na mesma pequenez de antes. Uma operária do pensar, para clientes que pagavam para isso. Mas a essa altura, com o exercício de anos, estava pronta para pensar o mundo e suas instituições. Eu me lembro de começar a me perguntar: e se nada fosse estático? E se nada for verdadeiro? E se tudo for relativo? Existem verdades definitivas? De repente, enxerguei e comecei a criar mundos do lado de fora.

### Quem pensa muito erra pouco

Comecei a concertar, dentro da minha cabeça, modelos de gestão, modelos financeiros, a redesenhar sistemas, questionar o *"modus operandi"* de tudo. Entendi, de repente, os modelos sociais, o *"modus operandi"* de empresas, países, mercados. Pirei. Entendi que tudo que está no plano da realidade já foi pensado, criado, um dia. E, como para Picasso criar era tudo, pensar era tudo para mim.

Repensar o mundo, uma época da minha vida, era a única coisa que importava. Passei a limpo mentalmente crenças, costumes, modelos, e nessa mesma época encontrei a tecnologia. Ela viria a ser o meio. Quando não suportava mais criar por encomenda, usar minha inteligência para "convencer" consumidores, fechei minha agência de publicidade e passei um ano repensando tudo, escolhendo onde iria atuar. A essa altura, eu era gigante, me sentia capaz de mudar o mundo, entendia o problema mundial da água, da energia, das telecomunicações, da internet. O século ia mudar, o mundo estava aos meus pés, era só escolher.

Para cada um desses temas, desenvolvi um projeto de atuação e tinha uma teoria de mudança. Cheguei a escrever um livro sobre o futuro da internet. Naquela época, estamos falando de 1999, pensei o futuro do consumo. Enquanto todos falavam em B2B, eu defendia o C2B, sou eu quem compro, não é você que vende. O C2B está por trás de toda a invasão de dados pessoais que sofremos hoje. Pensei os cartões de fidelidade. Previ a internet das coisas, o rastreamento de coisas e pessoas. Pensei os bancos digitais. Muitos dos projetos criados ainda não estão implantados, mas serão. Porque foram muito pensados – e aprendi com o tempo que quem pensa muito erra pouco.

Sobre o futuro da água, esse ainda não aconteceu, mas é inevitável. Previ coisas maravilhosas como novas economias, criação de cidades produtoras de água, regulamentação da importação e exportação de água, biotratamento de águas sujas, novas tecnologias, entre outras. Nas telecomunicações, quase tudo que previ aconteceu. E, na energia, mais precisamente na eficiência energética, encontrei um mercado receptivo. Enviei um projeto para a FIESP (Federação das Indústrias do Estado de São Paulo), e em uma semana fui chamada. Orquestrei a maior mudança da área de eficiência energética do país. Redesenhei a Indústria de Eficiência Energética, realinhei a cadeia perante seus elos. Engajei instituições importantes no redesenho do modelo, como Abesco, BNDES, Febraban, ABNT, Banco Mundial, IFC, Finep. Liderei o acordo entre Brasil, Índia e China, pelo Banco Mundial. Foi apaixonante mas, depois de um tempo, entrou na rotina. Precisava mudar de novo.

### Ano de ouro

Com a mente aguçada, não só pela sobrecarga de trabalho, mas porque na época assistia a muitas palestras, oficinas, seminários. Achava interessante saber para onde o mundo estava caminhando, as teorias. Não importava se estavam certos, muitas palestras eram furadas, o importante era saber como empresários, governos, mídias, influenciadores estavam pensando o seu tempo, era um grande jogo de xadrez, tudo me levava a mundos que ainda não eram vistos pela grande maioria. Eu confesso, tinha medo, porque sabia que esse era o primeiro passo da mudança e, dessa vez, eu queria ficar onde estava, ganhava bem, tinha prestígio, relacionamento etc. Mas sabia que tudo aquilo estava me catapultando para outra fase da vida. Eu não sabia, mas estava às vésperas do meu "ano de ouro", a exemplo do ano de 1905 de Albert Einstein[1], eu, em 2003, entendi o mundo de outra forma.

Em 2003, utilizando os termos de Einstein, meu "cérebro árvore" estava em plena primavera, a partir de centenas de palestras, do convívio com o Núcleo de Estudos do Futuro da PUC-SP e da participação na construção dos Objetivos de Desenvolvimento Sustentável da ONU, cheguei às minhas "verdades insuspeitas". Nesse ano, produzi como nunca diversos projetos visionários, que reunidos, anos mais tarde, completaram um grande quebra-cabeça. Em 2015, utilizando a "Estratégia Disney[2]", separando a equipe criativa da realista e da crítica, criei a Desenvolve Brasil, onde coloquei em prática alguns projetos. Hoje, no segundo semestre de 2019, saio num ano sabático numa volta ao mundo, para entender o desenvolvimento sustentável em diversas partes da Terra, para checar minhas teorias e transcrevê-las no livro *Como transformar a base da pirâmide no alicerce da nova economia*, que pretendo lançar em 2021.

---

1 Artigo *Ano miraculoso de Einstein: 1905*, Revista Alemã Annalen der Physik (Anais de Física), publicado em maio de 1905.
2 Numa visão geral, o sonhador gera as novas ideias, o realista transforma essas ideias em expressões concretas, e o crítico vem para filtrar, estimular ou refinar o propósito final. Pesquise.

## Capítulo 9

## Os nove pontos importantes do profissional de alta performance

### Ednilson Almeida

Hoje, no mercado de trabalho, para que você consiga se manter em alta *performance* é primordial que esteja cada vez mais preparado para se renovar, reinventar, adquirir novas habilidades e capacidades. Neste capítulo, vou elencar nove tópicos de importância para que você possa reavaliar o seu momento.

## Ednilson Almeida

*Personal coach* formado em *Master Practitioner* PNL (Programação Neurolinguística), *coaching* sistêmico pelo INEXH, pós-graduado em MBA Gestão Empresarial pela BSP (UAM). Ampla experiência em formação de equipes, consultoria e empreendedorismo. Atuação no mercado para profissionais em alta *performance* desde 2015.

**Contatos**
www.ednilsonalmeida.com.br
ednilsonalmeida@uol.com.br
(11) 94958-9639

## Primeiro: entenda seu mapa

A busca da alta *performance* depende do trabalho que você realiza, precisa estar alinhado com o que realmente você deseja, para isso é importante você entender sobre qual é o seu mapa, de acordo com a PNL (Programação Neurolinguística), mapa é tudo aquilo que você entende sobre você, seus valores, crenças, interesses etc.

Quanto mais você fizer uma busca para autoavaliação, maior a chance de você começar a descobrir o que tem para melhorar, ver seus defeitos como uma forma de se aperfeiçoar, por isso é importante uma autorreflexão de como está sua vida hoje, e aonde quer chegar, para que você consiga atingir seus objetivos.

## Segundo: buscar se identificar

Busque sempre o que realmente faz sentido para você, se identificar com sua meta e seus objetivos é um dos passos mais importante para que você consiga conquistar aquilo que deseja.

Dentro do seu mapa, existem vários pontos que podem fazê-lo encontrar o que se identifica com você, sabendo o que gosta de fazer você pode alinhar o seu trajeto com o que realmente gosta, isso é primordial para você entrar em excelência.

## Terceiro: percepção de satisfação

No processo de *coaching* de alta *performance*, é importante identificar algumas ações para os profissionais realizarem com a finalidade de alcançar as metas traçadas, além de atingir seu estado desejado.

Cito abaixo algumas dessas metas e ações que acredito serem necessárias para profissionais de alta *performance*, juntamente com as ferramentas de *coaching* que poderão ser utilizadas: análise SWOT – autoconhecimento do profissional para o desenvolvimento dos pontos fracos e potencialização dos pontos fortes; valores e crenças – mudança comportamental por meio de uma mentalização (um padrão novo de pensamentos e crenças), atitudes assertivas para a mudança do comportamento; metas e objetivos, visão e missão – foco no objetivo do profissional para seu sucesso.

Dessa forma, seguindo as dicas e utilizando essas ferramentas do processo de *coaching*, você poderá alcançar um aumento de desempenho, gerando mais satisfação pessoal e profissional. Compreender quem somos através do processo do *coaching* e construir uma trajetória através de um plano estratégico profissional pode ser a chave da transformação da nossa vida.

### Quarto: autoconhecimento

O autoconhecimento é o primeiro passo para renovar as competências. Ele favorece a autocrítica e um melhor direcionamento de carreira. Autoconhecimento traz benefícios para o profissional, podemos dizer que quanto mais você se conhece, mais você se desenvolve.

A busca de melhoria contínua implica em novos aprendizados, implica em abandonar velhos hábitos e adquirir novos conhecimentos, muitas vezes radicais, e na quebra de paradigmas.

O processo de *coaching* é efetivo, pois contribui com a clareza de quem realmente somos, como somos e o que somos capazes de fazer. Contribui também com o hábito de estar aberto a receber *feedbacks* e a conhecer a imagem que os outros têm sobre quem somos. Enfim, com o processo de *coaching* é possível conhecer um pouco da própria essência, descobrindo algumas peculiaridades que envolvem a formação da pessoa, personalidade, comportamentos e relacionamentos.

Procure a automotivação, um aspecto determinante na maneira como os profissionais lidam com o fracasso. É impossível alcançar o sucesso se não soubermos enfrentar positivamente o seu oposto – o fracasso. Entenda que o erro permite que você redirecione o caminho, use o erro como fonte de aprendizado.

O nosso sistema de crenças, nossas sinapses mentais e nossa fisiologia são ingredientes fundamentas para sermos pessoas melhores do que podemos ser. Proposta para a mudança de comportamento para os que entendem e se comprometem em mudar é adotar reflexões críticas, reavaliando crenças, padrões de pensamento e comportamento como meio de preservar sua qualidade de vida, sua identidade como pessoa e o seu espaço na empresa.

Todos nós queremos ter uma vida feliz e sabemos que se adotarmos uma atitude positiva, o retorno será melhor do que com uma atitude negativa. Mas, por muitas razões e situações de vida, todos nós, em alguns momentos, somos afetados pelas atitudes negativas que tomamos. Podemos implantar hábitos mais assertivos, capacitados e alinhados com os nossos desejos e expectativas, sendo necessárias força de vontade e autodisciplina.

**Arrependimento e merecimento:** arrepender-se é a tomada de consciência de que me desviei do caminho, de que quero melhorar. E o merecimento é a consciência boa e construtiva de um trabalho esforçado.

**Julgamentos pessoais:** para a maioria, acalmar a mente é um processo gradual que envolve o aprendizado de várias aptidões interiores. Essas aptidões são realmente a arte de esquecer hábitos mentais adquiridos desde a infância.

A primeira habilidade a aprender é a arte de deixar de lado, a tendência humana de fazer julgamento tanto de si mesmo como do próprio desempenho, classificando-os como bons ou maus. Abandonar o processo de julgamento é um ponto básico de nossa melhoria. Quando desaprendemos de julgar, é possível alcançar uma atitude espontânea e concentrada.

### Quinto: ferramentas e prática

**Análise Swot:** identificando os seus pontos fortes e pontos fracos, as suas oportunidades e ameaças, utilizando a ferramenta de Análise *Swot*, você estará identificando os *gaps* para o desenvolvimento de competências e habilidades necessárias para a aceleração dos seus resultados, o que o ajudará a alcançar o sucesso que deseja. Podemos nos tornar pessoas e profissionais bem-sucedidos quando dedicamos nossa energia a aprimorar o que já fazemos de melhor ou quando queremos melhorar alguma coisa que é definida como ponto fraco. Em qualquer uma das situações, a intenção é nos tornar ainda mais competentes, produtivos e felizes.

**Metas e objetivos:** ter metas é essência para qualquer profissional que deseja alcançar seus objetivos. Se você não sabe aonde quer chegar, qualquer caminho é válido. Lembre-se: metas e objetivos bem definidos são excelentes combustíveis para o entusiasmo, a motivação e a alta *performance*, nos trazem esperança, nos levam à ação e estabelecem a razão por que nos levantamos da cama todas as manhãs. Sonhos podem ser transformados em metas e objetivos para serem alcançados, e a ausência de metas garante o fracasso.

**Missão e visão:** elaborando a sua visão e missão da vida profissional, você estará se comprometendo com os seus objetivos e meta rumo ao seu sucesso. A visão é composta por imagens mentais que nos inspiram a agir e a tornar nossos sonhos realidade. Ela nos dá direção e pode criar significado para a vida; é inspiradora, estabelece o ponto aonde queremos chegar e o que queremos ser; está relacionada com nossos sonhos e aspirações mais profundos. Logo, o que quer e aonde quer chegar com esse trabalho é a sua visão pessoal. Já nossa missão é uma lembrança de quem somos e do impacto que causamos no universo. Isso faz com que a vida seja completa e feliz. A missão é orientadora, está relacionada aos nossos talentos, às nossas ações e objetivos. Ela delimita a função que devemos desempenhar, de que forma devemos atuar e operacionalizar para conseguir colocar nossos sonhos disponíveis às pessoas com que convivemos.

**Modelagem:** a modelagem é o princípio natural da aprendizagem e o caminho para excelência. É simples: modelamos para aprender a andar, falar e comer. Logo, é muito importante saber qual profissional você tem como espelho, conhecer tudo sobre a bibliografia deles, como vídeos, depoimentos, entrevistas, conselhos e dicas. Utilizando essa excelente estratégia de autodesenvolvimento, serão grandes as chances de acontecer o mesmo sucesso profissional com você.

### Sexto: alimentação e saúde mental

A importância de uma boa alimentação e saúde mental é primordial para esse processo de excelência ser bem-sucedido, esse é um ponto que deve ser acompanhado por um especialista.

Hoje, com as novas técnicas de tratamento e medicação, podemos potencializar o nosso metabolismo para conseguir uma melhoria no desempenho das atividades profissionais, por isso a necessidade de cuidar desse ponto, para que você possa atingir seu objetivo com o maior desempenho possível.

### Sétimo: habilidade e competências

O ideal de um profissional com foco em resultado é ter habilidade na tomada de decisão e ações congruentes nos esforços, tanto nos treinamentos quanto na vida pessoal, a fim de que seu desempenho em campo seja sempre o melhor possível, individualmente e em equipe. Para que ele atinja esse status de excelência, é necessário estar ciente de suas potencialidades e limitações diante das exigências do trabalho específico.

### Oitavo: crenças libertadoras

As crenças são tudo aquilo em que acreditamos, que filtramos e percebemos a realidade. Elas orientam a nossa vida.

As nossas crenças surgem a partir das experiências de vida que temos e tornam-se fatores determinantes para futuras experiências. Atuam como filtros que irão gerar estados internos, que nos alavancam em uma direção ou nos bloqueiam, nos limitam.

Percebemos o mundo através dos sentidos, e essa percepção vai para o nosso sistema nervoso; ao passar pelo filtro das crenças, fazemos nossas escolhas, a partir de comparações. Comparamos a informação que recebemos com as nossas crenças, com aquilo em que acreditamos e que é verdade para nós.

É assim que fazemos escolhas em direção aos nossos objetivos. Se tiver crenças fortes, elas o orientam a criar o mundo que você quer para si, o mundo em que você quer viver. Se tiver crenças poderosas, é nelas que encontrará a energia para prosseguir e superar obstáculos. O sistema de crenças é muito importante para o profissional, se ele acreditar que realmente é possível atingir a alta *performance*. Portanto, identificar nossas crenças é indispensável no processo de *coaching*, já que elas estão por trás do nosso comportamento e determinam as ações.

Se, então, desejo mudar um comportamento, preciso antes mudar minhas crenças sobre a minha realidade até agora vivida, com isso, dizemos que as crenças governam as atitudes e os comportamentos. Fazer a autoavaliação de suas crenças é importantíssimo, para isso é importante a pergunta certa para você identificar.

Depois de identificar, precisamos substituir as crenças limitantes por crenças libertadoras, já que todo comportamento se apoia em uma crença. Como são importantes somente bons comportamentos dentro e fora do trabalho, alterar uma determinada crença que resulta em mau comportamento.

### Nono: excelência

Pessoas de sucesso têm esse pensamento e estão satisfeitas com isso. Elas acreditam que na adversidade existe um possível benefício de igual tamanho ou maior que o problema. Com muita disciplina, essas pessoas seguem revendo os passos, aprendendo com os erros e extraindo lições quando os reparam. Nossa cultura pode exercer uma influência em nossas crenças no sentido de igualar o erro a um fracasso. Isso acontece, por exemplo, quando não passamos numa prova ou somos reprovados na escola e não passamos de ano, essas decepções podem ser na infância ou adolescência. O que uma pessoa de sucesso vê nisso tudo? Que foi um desvio no caminho para o aprendizado? Pergunta que poderia ser feita: qual o aprendizado que tive nessa experiência?

Independentemente do que acontecer, assuma a responsabilidade. As pessoas de sucesso assumem a responsabilidade pelos seus atos. Entendemos como sucesso o esforço contínuo para torna-se maior e uma oportunidade de crescimento. É um processo sempre em construção e não um caminho coerente a ser percorrido.

Além disso, devo conhecer o efeito de minhas escolhas, devo modelar meu comportamento a partir de alguém que fez e deu certo; devo agir e ser perspicaz e observador analisando o caminho, e continuar na jornada tirando aprendizado dos desvios realizados, até conquistar o objetivo.

Profissionais conscientes dessas atitudes estão bem orientados, porém a decisão é sempre do indivíduo. Quantos têm consciência de que a fama e a fortuna são resultado do treinamento árduo, disciplinado, que exige muita determinação e compromisso, como essa atitude é uma intenção de se comportar de certa maneira e o comportamento é a ação.

Concluindo este pequeno conteúdo, ficam aqui as dicas para que você possa desempenhar sua função com mais aperfeiçoamento, buscando sempre a melhoria contínua em seu trabalho, agradeço também a todos os mestres que me ajudaram a chegar aonde estou. E, hoje, fico feliz de poder passar alguns dos ensinamentos que adquiri em minha trajetória profissional e pessoal.

# Capítulo 10

## Mudança, a certeza que permanece!

**Erica Drobina**

Neste capítulo, abordaremos o processo de mudança e orientação do *mindset* como fatores essenciais na conquista da alta *performance*. Modelar o *mindset* para o desenvolvimento de novas ideias, valores e crenças é essencial para o crescimento e o sucesso de situações que permeiam a vida pessoal, profissional e liderança de times.

## Erica Drobina

Psicóloga graduada pela Universidade Presbiteriana Mackenzie, pós-graduanda em Gestão Empresarial pela FIA e especialista em Gestão Estratégica de Pessoas. Dedicada há 15 anos na promoção do desenvolvimento de pessoas e organizações com visão na ascensão da carreira e gestão. Atualmente dirige a consultoria Carreira & Gestão, empresa que promove o desenvolvimento do capital humano, lideranças e equipes que buscam novas competências com foco em novos resultados e mudanças de *mindset* em organizações dos mais diversos segmentos que desejam uma estrutura estratégica de sua gestão de pessoas.

**Contatos**
www.carreiraegestao.com
erica@carreiraegestao.com
(11) 95037-0999

> "Há um tempo em que é preciso abandonar as roupas usadas, que já têm a forma do nosso corpo, e esquecer os nossos caminhos, que nos levam sempre aos mesmos lugares. É o tempo da travessia: e, se não ousarmos fazê-la, teremos ficado, para sempre, à margem de nós mesmos."
> **Fernando Teixeira de Andrade**

A melhor maneira de descobrir o quanto mudamos é retornar a algum lugar que foi importante num passado não muito distante e simplesmente sentir...

Em poucos instantes, nosso cérebro fará inúmeras conexões neurais que nos trarão memórias que desencadearam sentimentos que nos mostrarão o que mudou ou não mudou.

Mudar é preciso e muitas vezes não é uma escolha!

Mudar nos desafia, nos faz crescer, nos traz desenvolvimento e nova *performance*, mas mudar também causa medo, ansiedade, dúvida, desconforto e resistência.

O processo de mudança está totalmente associado ao nosso *mindset*, que revela muito mais do que nosso comportamento e nossos traços de personalidade. Ele define nossas relações com o trabalho, com as pessoas, a forma como nos relacionamos nos mais diversos desafios do dia a dia.

Resumidamente, *mindset* é a nossa configuração mental: como pensamos e como organizamos os nossos pensamentos. A raiz de sua formação está em nosso conjunto de ideias, crenças e valores individuais e o resultado desse modelo mental refletirá na forma como compreendemos, enxergamos e julgamos os acontecimentos do cotidiano pessoal e dia a dia profissional, sendo essencial para todas as tomadas de decisões.

Ideias 〉 Crenças 〉 Valores 〉 Mindset

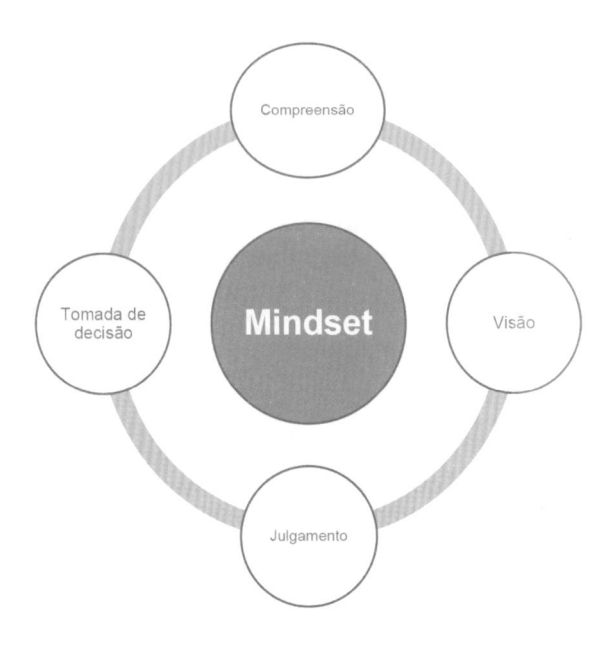

Diagram: Mindset (center) connected to Compreensão, Visão, Julgamento, Tomada de decisão.

A psicologia nos revela dois tipos de *mindset* e ambos podem ou não nos conduzir à alta *performance* e serão os indicadores da necessidade de um processo de mudança em nossas ideias, crenças ou valores.

### *Mindset* Fixo

Pessoas com esse tipo de *mindset* tem a crença de que sua inteligência ou talentos são características que não serão modificadas, tampouco desenvolvidas. Acreditam que o talento é nato, sendo fator essencial e decisivo para o seu sucesso.

Pessoas com *mindset* fixo sofrem e resistem às necessidades de mudança e, em muitos momentos, se deparam com a queda de *performance*, que é vista como fracasso.

A baixa *performance* é atribuída à falta de talento e a crença se limita à impossibilidade de desenvolvimento contínuo. Não há espaço nesse modelo mental para o planejamento de ações de desenvolvimento e esforço para obtenção de novos resultados e novos modelos de atuação. Nesse modelo, o processo de mudança não acontece e a sensação de fracasso gera frustração.

### *Mindset* de Crescimento

A pessoa com *mindset* de crescimento tem a crença de que as dificuldades levam a oportunidades de superação e novos aprendizados, assim como à validação do valor do esforço para a conquista da *performance*. Ousamos dizer que é caçadora de desafios, dedica-se ao objetivo e não mede esforços para tal.

Percebemos que o processo de mudança é uma constante na rotina dessa pessoa, o que conduz seu cérebro a realizar infinitas conexões neurais, desenvolvendo assim sua capacidade intelectual, o que pode torná-la mais inteligente.

Nesse modelo mental, a baixa *performance* é vista como desafio, novos planos de ação são traçados e o eventual fracasso é considerado uma oportunidade de desenvolvimento. Aqui, a mudança é bem-vinda e aceita como grande oportunidade de crescimento pessoal e intelectual.

### Compreendendo meu modelo mental

Podemos, e é natural, permear entre os dois modelos mentais em diferentes situações, porém temos uma tendência a um deles. É fato que o *mindset* de crescimento nos leva a uma maior *performance*, no âmbito pessoal ou profissional, e vamos pensar um pouco sobre nossas reações nas situações abaixo:

- Como você tem encarado os novos desafios?
- O que faz frente a uma situação imprevista?
- Está desenvolvendo novas habilidades?
- Tem se esforçado para conquistar resultados?
- Qual seu sentimento frente aos seus erros?
- Qual sua reação a críticas?
- Como sente-se vendo o sucesso de outros?

### Cinco passos para desenvolver o *mindset*

A boa notícia é que podemos buscar melhor *performance* e alterar o *mindset* por meio de mudanças em seu comportamento que favorecerão novas crenças e a construção de novos valores.

1. **Conhecer-se para se permitir:** o processo de mudança torna-se mais atraente a partir do momento que temos maior conhecimento de nossas limitações e tomamos

consciência de quem verdadeiramente somos. Nessa fase, compreendemos os motivos que nos fazem pensar como pensamos, temos determinadas ações que nos permite avaliar o que precisa alterado no modelo mental para um novo nível de *performance*.

2. **Download de ideias:** escreva todas as suas ideias que podem levá-lo a ter um novo nível de *performance* na vida pessoal ou profissional. Dessa maneira, você começará a mudar sua visão e a traçar novos planos de ação para chegar a novos resultados. O processo de mudança começa no plano das ideias.

3. **Busca de novos conhecimentos:** autoconhecimento somado a novas ideias com foco em novos níveis de *performance* pede novos conhecimentos. Busque materiais, leia sobre vários assuntos, esgote suas possibilidades de conhecimento. Você provocará por meio da leitura novas conexões neurais que, além de promover seu intelecto, farão que seu inconsciente provoque novos pensamentos, comportamentos e atitudes.

4. **Inspiração em pessoas reais:** observe pessoas que convivem com você e entenda qual o *mindset* que ela tem frente ao sucesso e ao fracasso. Quais as suas ideias, crenças e valores? Certamente você terá uma fonte de inspiração e poderá ter exemplos vivos para continuar no seu plano de desenvolvimento de um *mindset* orientado à *performance*.

5. **Comemoração de pequenas vitórias:** temos a tendência de focar nos acontecimentos negativos, esquecendo que até mesmo esses acontecimentos trazem algo positivo. Perceba as conquistas que você obtém diariamente e as celebre.

Concluímos que abraçar o processo de mudança é a certeza que temos para desenvolver um novo *mindset* e consequentemente novos níveis de *performance* e, por mais aterrorizante que possa parecer, sempre vem carregada de grandes expectativas.

### O processo de mudança em ambientes corporativos

No ambiente corporativo, o processo de mudança é uma constante e chega com uma velocidade incrível. Para que aconteça com eficácia e traga os resultados planejados, é preciso que o time tenha um modelo mental orientado para a mudança e para a *performance*, que esteja engajado com o resultado esperado e responda no tempo certo com o melhor desempenho possível.

Fique atento aos comportamentos sabotadores que podem impedir a ação do *mindset* de crescimento:

> **Fase 1 – negação:** com a chegada das novidades e o reconhecimento de que algo mudou ou precisa mudar, vem o convite para que o time "saia da zona de conforto". Nessa fase, é comum a indagação, o estranhamento, a recusa e até mesmo a paralisação, e se o *mindset* fixo entrar em ação, haverá queda de *performance* em função do medo do desconhecido.
>
> **Fase 2 – alguma coisa mudou por aqui:** nessa fase, a mudança já está acontecendo externamente. O momento é propício para colocar sua inteligência emocional em ação considerando que os sabotadores podem ser fatores internos (do time) ou externos e podem demonstrar comportamentos como vitimização, reclamações e até certa frustração pela resistência que não foi quebrada.
>
> **Fase 3 – a mudança está consumada:** nesse momento, não há mais como resistir à mudança, ela aconteceu e começamos a ouvir frases do tipo: "Olha, melhorou!" e "Até que não foi ruim"... ou "Eu não imaginava que me ajudaria tanto no dia a dia".

Aqui acontece a aceitação do time ao novo *mindset* e ao processo de mudança. Com o engajamento, a tendência é vir à tona criatividade, novos padrões e ideias que parecem óbvias e fazem todo o sentido para novos níveis de *performance*.

Agora é o momento de revisitar mais uma vez um lugar, uma memória ou um processo que já teve muita importância e que pode ter sido motivo de grande resistência e descobrir as mudanças do *mindset*.

**Referências**
DWECK, Carol S. *Mindset, a nova psicóloga do sucesso*, 1ª ed. Editora Schwarcz, 2017.
GLADWELL, Malcolm. *Fora de série – outliers*. Editora Sextante, 2008.

## Capítulo 11

### Empoderamento humano na revolução digital

**Glaucia Cisotto**

Estamos vivendo um momento especial, a revolução digital e a relação humano-tecnologia, essa fase requer uma adaptação extremamente rápida e o maior desafio será como nos capacitar sem perder a essência humana. A reflexão sobre propósito, visão, missão, ética e empatia são os diferenciais entre nós e as máquinas.

## Glaucia Cisotto

Empreendedora, *cofounder*, CMO e *voice user interface designer* na empresa Trestto Tecnologia e Inovação, especializada em agentes digitais humanizados com inteligência artificial e cognitiva preparados para compreender e conversar com humanos. Graduada em Gestão Empresarial, Administração e Negócios, MBA em *Marketing* e Gestão de Clientes pela Universidade Gama Filho, *Transformational Design Thinking* pela PUC. Especialista em conectar pessoas a marcas com a melhor a experiência digital, vasta experiência em criação de diálogos para robôs com reconhecimento de voz, cocriação com pessoas e para as pessoas, aplicabilidade da tecnologia para o relacionamento com o cliente, gestão de equipes e processos diários na integração entre equipe humana e digital.

**Contatos**
www.trestto.com.br
glaucia@trestto.com.br
Instagram: @tresttotecnologia
(11) 4968-8968

"Não é o mais inteligente ou o mais forte que sobrevive, mas aquele que é capaz de se adaptar mais rapidamente às mudanças do ambiente em que se encontra."
**Leon C. Megginson**

Nem tudo é sobre tecnologia, mas tudo é sobre pessoas. Um dos grandes desafios, como em qualquer revolução, são as pessoas, pois inicialmente a tendência é de encantamento e não com os efeitos em nós como humanidade, pensando em quais possibilidades e ameaças elas apresentam. A possibilidade de sermos substituídos por robôs e por negócios de modelos mais disruptivos nos faz refletir sobre o papel da humanidade. Constantemente alguém me pergunta: você acha que os robôs vão substituir os humanos? E minha resposta é: Não! Em nenhum outro momento da história o homem teve tanto poder sobre si e tudo que o cerca, nesse caminho de avanço tecnológico a singularidade humana nos fará evoluir drasticamente. Cada vez mais, os robôs estão sendo humanizados e os seres humanos deixando ser robotizados. Temos que começar a pensar sobre o que queremos construir, reflexão sobre propósito, visão, missão, ética e principais problemas a serem resolvidos para a humanidade. Tudo parece perfeito quando se fala de alta tecnologia, mas o que de fato a torna perfeita é quando anda de mãos dadas com a humanidade. Nesse contexto, apenas possuir informações não consiste mais em vantagem competitiva, pois elas mudam rapidamente e se tornam descartáveis, o empoderamento humano está na capacidade de desenvolver habilidades e se destacar constantemente, resolvendo problemas em situações inéditas e criando oportunidades. Os seres humanos e a tecnologia andam de mãos dadas desde o início de nossa história, criamos tecnologias e somos continuamente transformados por ela, um ciclo evolutivo da humanidade. Tecnologia para empoderar pessoas? Sim! "Os humanos são o órgão reprodutor da tecnologia". E mais: "Tecnologia é a construção e uso social de ferramentas que expandem a capacidade de nossos corpos e mentes, inaugurando possibilidades inéditas para a humanidade."

Segundo Gartner, até 2020, os clientes vão administrar 85% de seu relacionamento sem falar com um ser humano. Se você pensa que a Inteligência Artificial (I.A.) é algo do futuro ou que está apenas nos filmes de ficção científica (os meus preferidos), é hora de repensar, pois já é uma realidade e faz parte do nosso dia a dia. A revolução digital veio para transformar as nossas vidas e a forma atual de como pensamos, nos comunicamos e vivemos. Em algum momento, vamos nos questionar como fazíamos antes de toda essa tecnologia. No entanto, por ser um assunto novo, para a maioria das pessoas é bem comum alguma confusão de informações e receio, mas estamos caminhando juntos, acompanhando a direção da evolução da humanidade, que será decisiva para nosso futuro. Amedrontar-se com as transformações não é o caminho correto para tomar as melhores decisões e nem para se posicionar nesse novo contexto. Esse avanço nos direciona ao progresso, pois podemos ter toda nossa comunicação voltada ao universo digital. Os novos modelos de negócio, principalmente de *startups*, estão transformando as corporações e processos, atualmente é possível identificar oportunidades e tecnologias exponenciais abrindo espaços para diferentes usabilidades e profissionais, melhoria de processos utilizando a tecnologia para empoderar pessoas. Refletindo sobre a velocidade do ciclo de tecnologia e inovação, entendemos que não existe apenas uma única forma de falar sobre o assunto e não podemos afirmar que toda inovação depende necessariamente de novas tecnologias. A inovação pode surgir de inúmeras formas, a mais comum é identificar possíveis ameaças ou falhas de processos e transformá-las em oportunidades, dependendo de um viés humano para melhorar algo existente.

> "As pessoas não compram coisas, elas compram o que as coisas fazem por elas."
> **Theodore Levit**

Temos que ir além, projetar para as pessoas e com as pessoas, inovar com colaboração que agrega valor, conhecimento e as melhores experiências. Quando projetamos para pessoas, temos inúmeras surpresas, estatísticas dramáticas apontam que 80% a 95% dos novos produtos falham, será que estamos fazendo o que é adequado às pessoas? Uma forma de começar é refletir sobre o cenário atual, e o que queremos transformar. Percebemos que, mais do que produtos, as pessoas procuram soluções. Temos mais resultados quando criamos um produto com propósito, antecipando as necessidades, de fácil usabilidade, útil com engajamento, conexão emocional e satisfação do cliente. Para obter sucesso em um futuro próximo e seguir o ritmo das mudanças, devemos aperfeiçoar nossas habilidades humanas, destaco a ferramenta do *Design Thinking*, que transforma nossa forma de pensar, é uma abordagem centrada totalmente nas pessoas para inovação, utilizando ferramentas para integrar as necessidades das pessoas, as possibilidades da tecnologia e os requisitos para o sucesso dos negócios. O papel fundamental do *designer* é ser intérprete das necessidades da empresa e das pessoas, e o principal diferencial é entender mais sobre pessoas, em conjunto facilitar as conversas, alinhar percepção e comunicação, separar as pessoas dos problemas, entender os dois lados sem juízo de valores, concentrar-se nos interesses, investir em critérios objetivos, alavancar a inteligência coletiva, provocar motivação, empatia e reciprocidade. Precisamos dialogar mais com as pessoas, colocar-se no lugar do outro, reconhecer as emoções, construir e comparar, falar sobre o que sentimos e escutar o que o outro sente, criar relações de harmonia para que o outro se sinta à vontade, postura corporal, sintonização de voz e ajuste de linguagem. Cada vez mais os clientes querem saber de quem eles estão comprando, querem se sentir conectados com o propósito da marca, colaboradores devem se manter atualizados para entender para quem eles estão trabalhando, todos querem sentir que estão contribuindo para algo com propósito, líderes devem se preocupar cada vez mais com o impacto que vão causar, empreendedores devem pensar em resolver algo com propósito e valores definidos para a sociedade. Para tanto, penso que empresas são feitas de pessoas, precisamos de motivação para conceber e trabalhar por um mundo melhor, onde as pessoas consigam ser completas, alinhando o trabalho aos valores humanos.

| **Pensando na essência** ||
|---|---|
| Propósito | Por que estamos fazendo isso? |
| Visão | Que mudança queremos fazer? |
| Valores | Quais valores direcionam nossas decisões? |

| Problemas | Que problemas queremos resolver? |
|---|---|
| Pessoas | Para quem iremos trabalhar? |
| Proposta de valor | Que valores vamos entregar a estas pessoas? |

> "Até 2020, a experiência do cliente superará o preço e o produto como diferenciador-chave da marca, 86% dos compradores pagarão mais para ter uma melhor experiência."
> **(CEI Survey)**

Em tempo de economia colaborativa, o destaque está voltado para empreendedores e colaboradores criativos que pensam em produtos e serviços que possam ser compartilhados com qualidade, confiabilidade, e que fortaleçam experiências e o relacionamento digital, a realidade é que os consumidores fortalecem as marcas. Nossa responsabilidade com a experiência do cliente só aumenta, e nos faz repensar em como inovar e automatizar processos diários para atingir a melhor experiência digital. Grandes marcas estão se destacando e inovando, hoje a maioria das centrais de atendimento já contam com a ajuda de agentes digitais para empoderar seu capital humano, revolucionando o atendimento com mais agilidade, assertividade e confiabilidade. Acredito que você, que está lendo este texto, já tenha conversado com um robô, seja ele um sistema de computador com reconhecimento de voz ou mesmo por texto, pois através da alta tecnologia eles conseguem conversar, coletar e analisar dados com uma precisão e velocidade praticamente inimaginável para os padrões humanos, um aumento considerável na produtividade, que elimina o trabalho repetitivo, direcionando a equipe humana apenas trabalhos mais intelectuais que demandam maior raciocínio e sensibilidade. Profissionais experientes no processo de atendimento e com conhecimento na jornada do cliente apoiam as equipes de tecnologia para melhor resultado no aprendizado das inteligências cognitivas. É fácil entender esse movimento de digitalização crescente na área de atendimento ao cliente, as margens desses serviços estão cada vez menores e com custos muito elevados. Com o avanço da tecnologia, as centrais de atendimento tendem a ter um número menor de pessoas, entretanto esses profissionais terão melhores salários e serão mais qualificados, preparados para a revolução digital e aceitação da integração entre robôs e humanos. Os humanos se tornam indispensáveis para os trabalhos com mais complexidade e os robôs os apoiam com tarefas simples e de fácil resolução. Muitos dos profissionais procurados pelo mercado nessa área ainda nem existem, vejo uma perspectiva crescente para novos cargos e salários. Temos que observar como a tecnologia está impactando diretamente em nossos negócios, pensar em todas as possíveis rupturas em nossos processos diários, estar totalmente abertos a mudanças e desenvolver novas habilidades para ficar um passo a frente.

No entanto, podemos assumir o poder de nossas atuações como indivíduos na revolução digital, desenvolvendo nossas capacidades humanas para novas habilidades e atuando em conjunto com a evolução da humanidade e tecnologia.

**Referências**
GABRIEL, MARTHA. *Você, eu e os robôs*. Ed. Atlas, 2017.
BROWN, TIM. *Design Thinking*. Alta Books, 2018.
ROBINSON, SIMON, ROBINSON, MARIA MORAES. *Customer experiences with soul: a new era in design*. Holonomics Publishing, 2017.

## Capítulo 12

### Qual é a sua alta performance?

**Helder Silva**

Como avançar apresentar alta *performance* sem distanciar-se de sua essência ou seguir modelos pré-formatados? Este capítulo convida a uma reflexão sobre como nos enxergamos e quais instrumentos utilizar nesta jornada. O autoconhecimento é o ponto de partida, fora de padrões e dentro do propósito de vida de cada um. Conheça melhor a sua alta *performance*?

## Helder Silva

Vivência profissional em grandes empresas, experiência com negócios em diversos segmentos, intrigado com processos, estimulado pelo crescimento e principalmente apaixonado pelo desenvolvimento humano. Parceiro estratégico de negócios, engajado para contribuir com o processo de desenvolvimento das pessoas, utilizando ferramentas e técnicas aliadas à criatividade, empatia, disponibilidade, de forma holística, para assim apoiar o autoconhecimento, aprendizado, autonomia do indivíduo e alavancagem de resultados. Questionador, flexível e respeitoso, colaborando para que o indivíduo possa a atingir sua alta *performance* através das suas potencialidades. Publicitário, aspirante a psicólogo e eterno aprendiz.

**Contato**
LinkedIn: https://bit.ly/2ORHiKy

Como se destacar em meio à multidão sendo você mesmo? Este é o desafio!

A história mostra que a individualidade é o grande diferencial frente às maiores conquistas da humanidade. Porém, o que os grandes ícones têm em comum?

Em sua maioria, essas pessoas têm uma variável indispensável para o sucesso: o autoconhecimento. Isso não se trata de autoajuda ou frases de efeito, mas, sim, do entendimento e da tomada de consciência sobre o processo de utilização de suas potencialidades a serviço de seus objetivos, sejam eles individuais ou coletivos.

A sociedade sempre busca os melhores e maiores resultados, eficiência em tudo, a natureza também é assim. E como podemos nos inspirar nessas práticas para alavancar nossos resultados e conquistar nossos objetivos? O primeiro passo é se conhecer melhor.

**1 - Não há desenvolvimento sem autoconhecimento**

Em nossa jornada, conquistamos muitas coisas, materiais ou não, porém o que permanece por toda a história de uma vida são aquelas que têm conexão com o íntimo do indivíduo. Algumas pessoas focam suas conquistas em itens que fazem sentido para os outros e isso traz um sentimento de frustração constante.

A conexão com um trabalho a ser desenvolvido faz com que os resultados sejam mais gratificantes e consequentemente maiores e mais frequentes. Por esse motivo, digo que o desenvolvimento está intrinsecamente ligado ao autoconhecimento.

Um indivíduo que se conhece, e sabe o que procura, o que o estimula, aonde quer chegar e quais coisas o incomodam no percurso, faz escolhas mais conscientes e adequadas para sua vida.

"Então você me diz que essa pessoa é imune à frustração?"

De maneira alguma! Ela se frustra como qualquer outro ser humano saudável, porém ela tem a possibilidade da frustração como um item a ser ultrapassado, pois sabe qual é o seu objetivo, conhece sua necessidade e qual instrumento pode utilizar para contornar a situação. E se ainda não tem os recursos suficientes para isso, procura ajuda onde pode obtê-los.

E como é possível atingir esse nível de autoconhecimento a ponto de entender o que se tem e o que falta para uma vida de sucesso? Existem diversas formas de entender um pouco mais, o que nos leva ao segundo passo, desafie-se.

## 2 – Toda situação possui mais de um ponto de vista

A busca de um ponto de equilíbrio é a premissa de felicidade para algumas culturas, isso se reflete quando se fala de yin e yang, por exemplo. Esse aspecto de polarização pode ser visto em quase tudo, a partir de conceitos como bem e mal, luz e escuridão, masculino e feminino, dia e noite e por aí vai.

Porém, entre esses dois pontos extremos existe uma vasta escala de gradações que podem ser exploradas infinitamente. Para simplificar nossa vida e automatizar nosso pensamento, nos fixamos em algum ponto entre os extremos e de lá reinamos como donos da razão. A nossa famosa e deliciosa zona de conforto.

Quando se trata de autoconhecimento, desenvolvimento e, consequentemente, alta *performance*, a manutenção da zona de conforto deve ser deixada para trás, uma vez que as mudanças de ponto de vista e a busca por novas formas de atuar farão com que sejamos mais completos e efetivos.

Dessa forma, ao ver uma situação sob outra ótica, podemos aprender uma nova maneira de agir, inclusive descobrindo que estávamos a serviço da vontade de outras pessoas. Não do propósito real que nos move e do sentido para uma vida de sucesso e felicidade. Esse desafio é o ponto de partida, e provavelmente ao fim da sua vida ainda haverá coisas não experimentadas e não desenvolvidas. E se você for "reencarnacionista", esse processo pode ser eterno.

Mas somente se jogar nas experiências e se desafiar pode fazer com que a confusão aumente em sua cabeça, em vez de ajudá-lo a se desenvolver, por isso o próximo passo é o planejamento.

## 3 – Planejar é preciso, e replanejar é necessário!

O planejamento está para a alta *performance* assim como a água está para a vida, sem um o outro não existe.

Dessa forma, ao passo que nós vamos caminhando pelas experiências da vida somente em busca de autoconhecimento, provavelmente vamos nos desanimar no processo e não entender o que está acontecendo. Portanto é importante que tenhamos pontos de chegada, metas específicas e tangíveis para nos direcionar se estamos no caminho adequado ou se devemos mudar de rota.

A construção dessas metas precisa ter um ponto de partida, que deve ser seu local atual, e a partir dos recursos que possui, você precisa determinar aonde quer chegar. Mas cuidado, nesse momento temos o risco de colocar um objetivo tão grande que pode parecer impossível, pense em novos pontos de chegada, com objetivos claros e atingíveis.

Outra variável indispensável para a construção do seu planejamento é o tempo. Meta sem prazo não existe, pois se algo é para ser atingido, precisamos saber qual o momento adequado. Sabendo o que se quer, de forma clara, objetiva, com especificações e dentro de um prazo, podemos correr atrás e investir nossa energia na execução.

Colocar tudo no papel, definir os indicadores de cada etapa pode ser uma forma muito agradável de construir seu planejamento. Algumas pessoas preferem o bom e velho caderno, outras elaboram planilhas com gráficos, e ainda há os que utilizam aplicativos de gestão de tarefas. Você define o que é mais adequado à sua rotina e ao seu estilo de vida. Mas só planejar não adianta, coloque esses objetivos em sua agenda de atividades e dentro de sua rotina. Assim você poderá gerir a sua *performance* constantemente e esse é o próximo passo.

## 4 – Avalie sua *performance* constantemente

Desde o profissional operacional de uma fábrica que precisa atuar cada vez mais rápido e com menos desperdício de matéria-prima ao alto executivo que deve garantir o máximo de lucratividade à sua empresa com seu conhecimento, análise e gestão de equipes, todos são avaliados.

Ao se propor a atuar em uma organização, cada um tem sua atividade definida a partir de uma necessidade a ser satisfeita. Seu trabalho deve ser transformar o insumo em resultado mensurado, sejam elementos químicos em medicamentos, areia e cimento em concreto, informações financeiras em investimentos ou até uma pessoa alimentada após uma refeição.

Uma organização seleciona os profissionais para participarem de seu grupo com base em suas experiências passadas, mas o que determina sua permanência é quem ele é, seu conjunto de características que permite que ele possa prosperar e realizar sua atividade com qualidade, dentro das necessidades estabelecidas pelo grupo e com os resultados esperados.

Por esse motivo, as empresas investem cada vez mais em ferramentas que possam identificar as características do indivíduo, para assim elaborar estratégias de desenvolvimento e melhorias em seus processos, sempre com foco em resultados melhores.

Os momentos de avaliação são temidos e até ignorados por alguns profissionais, mas os profissionais que buscam saber qual é a sua alta *performance* precisam utilizar esses momentos a seu favor. Pois independentemente da organização e da pessoa que conduzirá essa avaliação, esse momento trará informações muito ricas sobre quem você foi durante um período de tempo para um determinado grupo de pessoas.

Sempre que chegar esse momento, reflita sobre as informações coletadas e participe ativamente do processo, elaborando planos para seu desenvolvimento e atualizando sua gestão de indicadores pessoais, afinal, o seu projeto de alta *performance* está ligado a todas as instâncias de sua vida.

Lembre-se de que o processo de avaliação de *performance* das empresas está baseado nos itens esperados dos profissionais e das atividades executadas, e não no que você é, portanto um resultado ruim para a organização em uma função que para você não faz sentido pode ser um forte indicador de que essa atividade é um emprego e não um propósito. Isso tem sua importância para pagar as contas, mas precisa ser repensado, pois com o tempo essa situação pode fazer mal a você e à organização que você pertence.

Caso esteja em uma atividade autônoma ou em uma organização que não possui um processo formal de avaliação, busque essas informações com seus clientes, fornecedores, parceiros comerciais ou subordinados, desenvolva seu modelo baseado em seu serviço prestado e compile os dados a fim de entender melhor onde atuar para seu desenvolvimento. Descobrir onde estão essas pessoas é o nosso próximo passo.

### 5 – Contribuições são sempre bem-vindas

Quando se fala sobre alta *performance*, quase sempre atrelamos esse papel a um super-herói, que na maioria das vezes tem todos os recursos e resolve tudo sozinho.

Mas, na prática, não é bem assim que as coisas acontecem, o real profissional de alta *performance* possui um grupo de pessoas que sempre contribui para seu desenvolvimento, seja um líder que apresenta um feedback adequado e sincero, uma equipe que possui competências complementares, profissionais que colaboram para o desenvolvimento do repertório como professores, escutam seus conflitos como terapeutas, ou uma rede de apoio com amigos e familiares que estimulam e estão presentes quando necessário.

Esse profissional recebe de cada um as contribuições e compartilha com todos o que pode ser útil para o desenvolvimento dos locais onde convive, esse é um dos grandes motivos para as organizações investirem na *performance* de seus profissionais. Elas recebem isso na forma de melhores resultados e podem, assim, melhorar suas características e formar um ciclo de retroalimentação e desenvolvimento constante.

Hoje, uma nova alavanca para isso é a tecnologia, que expande exponencialmente esse processo, quebrando paradigmas em uma sociedade cada vez mais conectada e veloz, onde os milhares de *bytes* em informações geradas estão ao alcance dos dedos através de um celular, *tablet* ou outro *gadget* tecnológico, fazendo com que a informação e a comunicação rompam as barreiras geográficas e possam desenvolver novos desafios e evoluir.

## 6 – E por fim

O homem, em toda sua história, foi o agente de transformação da sociedade e das organizações, sempre utilizando as informações conforme as necessidades de seu grupo social, gerando assim o desenvolvimento e avanço, por isso o ditado: "Quem tem informação tem poder". Porém, a informação por si só não realiza o processo, esse item precisa ser transformado em ação para que a roda gire e a evolução ocorra. E, nesse processo, a interação humana se faz imprescindível para que a realização seja adequada, coerente e satisfatória:

- **Adequada:** pois deve servir a um propósito, ter motivo de ser.
- **Coerente:** essa transformação precisa estar alinhada à estratégia desse grupo social ao qual o indivíduo pertence.
- **Satisfatória:** a ponto que a interação sirva ao seu propósito e esteja alinhada ao que o grupo precise gerar de recursos esperados aos indivíduos e para a organização.

A partir do momento que estamos cumprindo o que pretendemos, nos tornando pessoas melhores e contribuindo para outras pessoas se desenvolverem diretamente ou não, podemos entender que estamos em alta *performance*, mas a resposta a isso só pode ser dada por cada um de nós, pois a pergunta continua:

**QUAL É A SUA ALTA PERFORMANCE?**

## Capítulo 13

**Rapport, sistema representacional, metamodelo de linguagem**

Jacqueline Cris Domingos Pinto

Neste capítulo, os líderes organizacionais encontrarão técnicas de programação neurolinguística para tornar mais leve o dia a dia da equipe, proporcionando mais harmonia, produtividade e desenvolvimento na organização, conduzindo para um caminho de sucesso e muitas conquistas.

## Jacqueline Cris Domingos Pinto

Consultora e auditora de Sistemas de Gestão com base em padrões normativos como ISO 9001, ISO 14001, ISO 39001, entre outros, com projetos personalizados. Instrutora de treinamentos voltados para Sistemas de Gestão e para Recursos Humanos. Gestora de Recursos Humanos. Graduada em Administração pela Unicesumar e graduanda em Engenharia Ambiental pela Cruzeiro do Sul. Pós-graduada em Gestão Estratégica de Empresas e Gestão Estratégica de Pessoas, e MBA em Controladoria e Auditoria. *Practitioner* em Programação Neurolinguística.

**Contatos**
jacquelinedomingos@yahoo.com.br
(44) 99116-9823

Nos dias atuais, os líderes vivem desafios diariamente, devido às evoluções tecnológicas e comportamentais dos profissionais. É preciso que os líderes se preparem para as mudanças organizacionais e de mercado, para obter maior resultado e desenvolvimento em menor espaço de tempo.

Para ser um líder de sucesso, é necessária a qualificação para situações que envolvam liderança, motivação, desenvolvimento, controle emocional, capacitação para avaliar a *performance* da equipe, tudo isso com foco em produtividade.

Então, para tornar a vida dos líderes organizacionais mais leve, seguem algumas técnicas de programação neurolinguística, para apoiar nesse processo de desenvolvimento de seu liderado:

**Rapport**: é uma ligação de sintonia e empatia com outra pessoa, de forma sutil e elegante, conduzida através do sistema límbico do cérebro, que é responsável pelos comportamentos, sentimentos e emoções. Usando essa técnica, manterá o liderado confortável, mas é preciso que o líder conduza o *rapport*, caso contrário não terá a eficácia desejada.

**Espelhamento:** o espelhamento é aplicado pela reprodução de ações de seu liderado, de forma muito suave e com harmonia, através de qualidade vocal, volume, entonação, velocidade e posturas corporais, como sentar-se na mesma postura que o liderado, repetir os gestos, fisionomias, velocidade de movimentos. É importante observar se a expressão corporal do liderado remete a reações e sentimentos, pois se for mania, essa técnica poderá não ser tão eficaz, por não existir sentimentos e emoções no comportamento.

**Repetição:** para que o liderado se sinta com segurança e igualdade pelo líder, fazer a repetição de frases e palavras, porém, cuidado para não tornar agressivo com a velocidade e intensidade das repetições. Exemplo: o líder inicia o diálogo e, no momento em que o liderado pronunciar algumas palavras, tomará como base uma palavra importante, e formula pergunta ou comentário com aquela palavra. E assim sucessivamente, até que seja pertinente a finalização do assunto.

**101%:** quando o líder não concordar com 100% das afirmações do liderado, tome como base 1% das afirmações que concordar, e repetir apenas aquele 1% e concordar.

Para interromper o *rapport*, é preciso suspender de forma drástica, quebrando a repetição, o espelhando.

O objetivo dessa técnica é promover uma conexão de forma inconsciente, a fim de proporcionar segurança, confiança e igualdade, para estimular a integração com o líder, permitindo o alinhamento dos aspectos importantes na relação profissional.

**Sistema Representacional:** ao longo de nossas vidas, na construção de nossa história, o inconsciente seleciona a forma que mais agrada ou que ofereça melhor controle na absorção e relacionamento com o mundo. O Sistema Representacional é responsável pela codificação do que ocorre no mundo externo, através de nossas bases sensoriais: Visual, Auditivo e Cinestésico. Assim, nossa comunicação é feita com base em nossos sentidos. Uma forma de detectar o dominante sensorial de uma pessoa é ouvi-la falar, e atentar às palavras, pois a linguagem reflete o pensamento. Seguem algumas palavras utilizadas em cada Sistema Representacional:

- **Visual:** ver, olhar, mostrar, perspectiva, imagem, claro, esclarecer, luminoso, sombrio, brilhante, colorido, visualizar, iluminar, vago.
- **Auditivo:** ouvir, falar, dizer, escutar, perguntar, dialogar, acordo, desacordo, soar, ruído, ritmo, melodioso, musical, harmonioso, gritar.
- **Cinestésico:** sentir, tocar, em contato com, conectado, concreto, pressão, sensível, insensível, delicado, sólido, firme, ferido, frio.

Escaneie com seu celular o *QR code* a seguir para ter acesso a um teste para identificar o seu Sistema Representacional e/ou da sua equipe, para que possa explorar mais a comunicação e o aprendizado, tornando-a mais eficaz:

Com esse resultado, você poderá potencializar o desenvolvimento de sua equipe, preparando reuniões, treinamentos, palestras, entre outros, explorando o tipo de Sistema Representacional com maior receptividade da equipe, e até dividindo a equipe para ser mais efetivo. Com isso, irá atrair maior atenção, aprendizado e compreensão dos assuntos abordados.

**Metamodelo de Linguagem:** é uma série de perguntas estrategicamente formuladas, aplicadas para aumentar a eficiência no diálogo e obter informações específicas e pertinentes. As pessoas têm tendência a falar de forma muito vaga, e essas perguntas vão ajudar a recuperar informações que ficaram perdidas na tradução da experiência subjetiva do emissor através da linguagem:

**Omissão Simples:** por dificuldade de se expressar ou por conforto, a pessoa omite informações do diálogo. Quando alguma coisa é omitida, a sentença conterá palavras como: confuso, surpreso, deprimido, furioso, comprou, isso, entre outras.
Exemplos de frases: a) Isso é muito difícil. b) Estou deprimida.
Perguntas: com o que especificamente? Quem especificamente?

**Omissão Comparativa:** aplicando comparações, porém, omitindo a quem está sendo comparado, não fica claro o que está sendo comparado. A sentença conterá palavras como: bom, mau, melhor, pior, mais, menos, a maioria, pelo menos, entre outras.
Exemplos de frases: a) Esse carro é bem mais bonito. b) Esse funcionário é muito mais produtivo.
Perguntas: comparado a quem especificamente? Comparado com o quê?

**Índice de Referência Não Especificado:** quando as pessoas, lugares ou coisas não são especificadas ou não está claro.
Exemplos de frases: a) Eles me irritam. b) As crianças são assim.

Perguntas: quem especificamente? O que especificamente?

**Verbo Não Especificado:** quando há verbo não específico e que não esclarece a ação, não fica claro como algo foi feito.
Exemplos de frases: a) Ela não me trata bem. b) Vou mudar de vida.
Perguntas: como especificamente? De que maneira especificamente? Por qual motivo?

**Nominalizações ou Substantivações:** é um processo que transforma uma ação (verbo) em algo estático (substantivo, nome), quando um processo é transformado em uma coisa.
Exemplos de frases: a) Sinto falta de atenção. b) A comunicação da equipe é ruim.
Perguntas: que maneira de se... especificamente? Que tipo de atenção especificamente? Como você gostaria que a equipe se comunicasse?

**Quantificador Universal:** são situações que podem ter ocorrido uma, duas ou três vezes e a pessoa generaliza como se ocorresse sempre, ou nunca. A sentença conterá quantificadores como: sempre, nunca, cada, nada, todo, tudo, ninguém, somente, entre outros.
Exemplos de frases: a) Nunca consigo fazer nada certo. b) Meu chefe nunca valoriza meu trabalho.
Perguntas: nunca dá certo? Já houve um tempo em que seu chefe valorizou seu trabalho? O desafio é exagerar ainda mais, repetindo em tom levemente exagerado o quantificador usado.

**Operador Modal de Possibilidade:** são situações que englobam tudo o que a pessoa pode/não pode, consegue/não consegue, irá/não irá, possível/impossível.
Exemplos de frases: a) Não posso fazer isso agora. b) Impossível eu ajudar você.
Perguntas: o que impede você de fazer isso agora? O que aconteceria se me ajudasse?

**Operador Modal de Necessidade:** são situações em que a pessoa não tem outras opções de escolha, limitando-se ao fatalismo ou à obrigatoriedade. A sentença contém palavras como deveria/não deveria, deve/não deve, tem que, precisa, é necessário que.
Exemplos de frases: a) Os fortes não devem chorar. b) Eu tenho que trabalhar no sábado.

Pergunta: o que aconteceria se os fortes chorassem?

**Causa e Efeito:** quando a pessoa estabelece uma relação de causa-efeito entre dois eventos, situações ou experiências.
Exemplos de frases: a) A meditação me faz bem. b) Caminhar me revigora.
Pergunta: como especificamente te faz bem?

**Equivalência Complexa:** ocorre quando duas situações totalmente diferentes são interpretadas como se tivessem o mesmo significado. Essas duas experiências podem ser ligadas pelas seguintes palavras: por essa razão, o que significa, o que se conclui, entre outras.
Exemplos de frases: a) Ela está gritando comigo, o que significa que ela me odeia. b) Meu filho não me respeita, ele me xinga na frente dos outros.
Pergunta: Como ela estar gritando contigo significa que de odeia?

**Execução Perdida:** é o julgamento ou avaliação de uma situação na qual o autor, o contexto e as condições ou critérios desse julgamento ou avaliação são eliminados. Algumas palavras utilizadas: é bom, é mau, é certo, é errado, é verdade, é falso.
Exemplos de frases: a) É claro que o melhor é desistir. b) É errando que se aprende.
Pergunta: na opinião de quem é melhor desistir?

**Leitura Mental:** quem está falando afirma saber o que a outra pessoa está pensando ou sentindo.
Exemplos de frases: a) Eu sei o que ela está pensando. b) Entendo o que ele está sentindo.
Perguntas: como você sabe o que ela está pensando? Como você sabe especificamente o que ele está sentindo?

**Pressuposições:** alguma parte do diálogo pressupõe a existência ou não de alguma coisa, embora não esteja especificamente declarada.
Exemplos de frases: a) Quando é que você vai demonstrar liderança para a sua equipe? b) Sinto maldade no seu coração.
Pergunta: o que o leva a acreditar que não demonstro liderança? O que o leva a acreditar que tenho maldade no coração?

Evite usar "por quê?", pois a resposta poderá ser, por exemplo, "porque sim", e encerrar o diálogo sem obter a informação necessária. Deve se usar "por qual motivo?", "o que impede você de fazer isso?" para obter mais informações e compreensão.

Metamodelo é uma técnica muito importante para a comunicação e você pode aplicar com sua equipe para obter maior eficiência, garantindo a satisfação de um diálogo saudável. Utilizá-lo na gestão de conflitos, na avaliação de desempenho, feedback e até com clientes para identificar a necessidade e obter negociações, entre várias outras situações.

Falamos sobre três poderosas técnicas de Programação Neurolinguística. Se bem aplicadas em sua equipe, você terá um resultado fantástico.

## Capítulo 14

### Qualidades para formar uma equipe de alta performance

José Luiz Junior

Como construir uma equipe eficiente com desempenho acima da média?

Há certas qualidades que são inegociáveis nesse processo de formação. Uma visão compartilhada, propósito, competência, confiança, habilidade em se relacionar são alguns dos blocos chaves para a estruturação de um time de resultados satisfatórios.

## José Luiz Junior

Administrador graduado pela ESAN/FEI (2000), com pós-graduação em RH (FGV-SP), MBA em Capacitação Gerencial (BSP-SP), MBA em Desenvolvimento Organizacional (Universidade Federal de São Carlos), Pós-MBA em Capacitação Gerencial na (FIA). Qualificação como auditor em RH pela Alcoa, membro da Associação dos Ex-alunos da FGV, membro atuante do grupo de RH/RT formado pelo Peixoto e Cury, membro do Grupo dos Vicentinos da Arquidiocese de Santo Amaro.

**Contatos**
jose.luizjunior@superig.com.br
luiz.jjunior@yahoo.com.br
Instagram: jose_luiz_junior
LinkedIn: https://bit.ly/2L2boJU

Para identificar, entender e avaliar os profissionais de *performance* acentuada, além de olhar o mercado atual, também analisei os meus 15 anos de gestão em empresas de diferentes setores de negócio, porte e cultura em que esse perfil de empregado se destaca rapidamente. É possível observar que suas atitudes no ambiente de trabalho impressionam pelo fato de agirem de maneira única e diferenciada dos demais.

Fazendo uma observação mais detalhada das múltiplas experiências enquanto atuei na área de Desenvolvimento e Capacitação de gestores e empregados estratégicos, consegui levantar mais de 50 atitudes que descrevem um performático nas corporações, contudo quero destacar 18 dessas características às quais enxergo como qualidades.

**AS 18 QUALIDADES QUE DETECTAM UM PROFISSIONAL DE ALTA PERFORMANCE**

### 1. São bons no que fazem

Parece óbvio, mas eles não são meros aventureiros. Estão acima da média. São extremamente talentosos e produzem um excelente trabalho de forma consistente. Quando você tem um projeto especial no horizonte, provavelmente busca nos seus talentos a habilidade necessária para realizar a tarefa, porque você sabe que eles farão da melhor maneira. Esses são os empregados que vão liderar sua organização no futuro.

### 2. Destacam-se em oportunidades de liderança

Sempre que os projetos do grupo se materializarem e você, gestor, simplesmente não conseguir gerenciar uma determinada demanda por conta própria, seus empregados de alta *performance* serão rápidos em se voluntariar. Além de proativos, possuem habilidades natas de liderança, como a de assumir esse papel quando preciso, e estão sempre procurando colocá-las em prática, desenvolvendo-as ainda mais.

### 3. Eles trabalham bem autonomamente

Você não precisa se preocupar em perguntar quanto progresso eles estão obtendo em um determinado projeto ou tarefa. São totalmente comprometidos. Você pode confiar neles para fazer bem o trabalho e, com isso, sobra tempo para se dedicar às iniciativas mais estratégicas.

### 4. Tomam iniciativa

Por serem talentosos, não esperam que você diga o que fazer. Eles estão constantemente pensando em novas ideias e ansiosos para contribuir mais. Sempre que um projeto espontâneo aparece, geralmente são os primeiros a se voluntariar e se responsabilizar pela entrega.

### 5. Interessados em saber aonde a empresa quer chegar

Muitos trabalhadores buscam um emprego para obter o dinheiro que pagará as contas. Fazem apenas o básico e necessário para assegurar o recebimento do salário. Os empregados de alta *performance*, por outro lado, estão muito mais empenhados no sucesso das empresas para as quais dedicam seu tempo e conhecimento. Eles se preocupam com o futuro da organização.

### 6. Não vacilam sob pressão

Topam qualquer "parada". São os membros da equipe que estão prontos para o que surgir em seu caminho. Quando as coisas esquentam no trabalho, não perdem a compostura, permanecem calmos, equilibrados e analíticos – mesmo quando as coisas ficam difíceis. Muitos até trabalham melhor em situações de alta pressão.

### 7. Fazem perguntas

Como estão interessadas no futuro de sua empresa, suas estrelas fazem muitas perguntas. Mesmo que ainda não estejam em posições gerenciais, querem garantir que as decisões corretas sejam tomadas sempre. Compartilham de uma visão macro do negócio.

### 8. Desenvolvem continuamente novas habilidades

Os empregados de alta *performance* estão sempre interessados em aprender coisas novas. Eles se esforçam para se tornar melhores no que fazem e buscam se aperfeiçoar diariamente.

Essas pessoas estão atentas às movimentações e atualizações do setor e continuam aprimorando suas habilidades para que possam contribuir de modo cada vez mais eficaz.

### 9. Ajudam seus colegas de trabalho

Entendem que o sucesso de sua organização depende dos esforços de todos que trabalham lá. Quando seus colegas estão sobrecarregados, eles se oferecem para resolver alguma tarefa ou atividade, ajudando a aliviar suas cargas diárias e garantindo o ritmo das entregas.

### 10. Não trazem negatividade para o trabalho

Ninguém é de ferro! É fácil perder a paciência no trabalho, principalmente quando se está sobrecarregado. Empregados de alta *performance* compreendem a importância de manter o equilíbrio e ajudar a criar um ambiente de trabalho agradável para todos. Eles podem ter seus dias ruins como os demais colegas, mas, em geral, são visivelmente positivos.

### 11. Aceitam que nem sempre estão certos

Até as pessoas mais inteligentes do mundo erram de vez em quando (ou foram, justamente, as inúmeras falhas que as fizeram alcançar a notoriedade). Suas estrelas em ascensão sabem disso, e é por essa razão que estão dispostas a rever, negociar suas ideias e, em alguns casos, abandoná-las completamente. Quando percebem que alguém sugere algo mais apropriado ou eficaz, estão dispostos a apoiá-lo.

### 12. Assumem responsabilidades fora de sua função

Esses empregados sabem que suas funções não precisam se restringir às definições do seu cargo. Eles estão ansiosos para assumir novas incumbências que agregam conhecimento, isso também os leva a enfrentar tarefas pelas quais não são diretamente responsáveis.

### 13. Reconhecem o trabalho duro de seus colegas

O compromisso com o resultado é da equipe e não apenas de um integrante. Todos gostam e precisam ser reconhecidos pelo trabalho árduo. Rotineiramente os performáticos agradecem a seus colegas por seus esforços e cuidam para que um ótimo trabalho nunca passe despercebido.

### 14. Ouvem e gostam do *feedback*

Todos precisamos de um termômetro para entender se estamos mais próximos ou distantes dos resultados que queremos entregar a alguém ou à nós mesmos. O potencial performático também vem acompanhado do saber ouvir e dar *feedback*, tanto o positivo quanto o negativo. Quando seu chefe diz que estão fazendo algo errado ou que poderiam melhorar em alguma atividade, eles não apenas ouvem os conselhos, como conscientemente tentam melhorar por causa disso.

### 15. Deixam seus objetivos de carreira bem claros

Você não ficará no escuro quanto às expectativas e aspirações deles. Serão muito transparentes sobre onde eles se veem no futuro e quais objetivos de carreira eles esperam alcançar, bem como o que esperam de você, enquanto gestor, e da empresa.

### 16. Geram sua própria energia

Em uma pesquisa que realizei há alguns anos, observei que a maioria das pessoas perde energia física ao longo do dia na rotina corporativa. Os sinais começam a aparecer por volta das 2 ou 3 horas da tarde, e muitos acabam o expediente sentindo-se exaustos. Em contrapartida, algumas pessoas, ainda que extremamente ocupadas e produtivas, não se cansam. Por que isso acontece? O que descobri é que a energia do primeiro grupo de pessoas esgota nas transições entre tarefas, reuniões etc. Por outro lado, os profissionais de alta *performance* controlam, dominam e ajustam melhor suas transições. É mais provável que eles façam uma pausa rápida, fechem os olhos, meditem – esses são gatilhos para um recompensador break mental que libera a tensão e o foco de uma atividade, de modo que ficam preparados para enfrentar a próxima missão. É como se eles gerassem energia ao longo do dia, em vez de perdê-la.

Um amigo talentoso me deu a seguinte sugestão: "Se você quiser se sentir mais energizado, criativo e mais eficaz no trabalho, deixando a atividade mais agradável para curtir melhor a vida, dê uma pausa à sua mente e ao corpo a cada 45 ou 60 minutos". Embora isso pareça difícil de fazer, sempre que possível, planeje seus dias com essas pequenas pausas.

### 17. Aumentam a produtividade

Alto desempenho, quando bem gerido, leva à alta produtividade para o que realmente importa. Quando Steve Jobs voltou à

Apple, ele desmontou a linha de produtos. Em seguida, se concentrou em aumentar a qualidade dos produtos que permaneceram. Profissionais de alta *performance* também são mais produtivos porque enxergam cinco passos à frente e se alinham para alcançar cada uma dessas etapas.

## 18. Desenvolvem influência

Quando você impacta os pensamentos de outras pessoas de maneira positiva, você tem influência. Pessoas acima da média desenvolvem influência ensinando e encorajando as pessoas a pensar, desafiando-as a crescer. Repare se na sua equipe surgem conversas do tipo: "Olhe por esse ângulo" ou "E se nós fizéssemos dessa maneira?" ou ainda "O que você acha disso?". Profissionais de alta *performance* desafiam todos do seu entorno para que também cresçam. É isso que faz a maior diferença entre ter apenas prodígios no time ou uma equipe com alto desempenho.

Por todas essas razões, os performáticos se destacam da média dos demais empregados colaborando mais agressivamente para os progressos e lucros da instituição, que são resultantes da produtividade e competitividade naturais deles (os performáticos). O que resume esse grupo é a necessidade de sentir-se útil. Embora todos os empregados careçam de devido cuidado, diante desses talentos precisamos dedicar maior empenho e atenção, pois eles requerem um fino acompanhamento, gestão, capacitação, clareza nas ações da instituição e quanto à sua carreira. É indispensável que eles saibam e sintam que podem contar com você, seja como gestor ou outro recurso potencial, você é a pessoa a quem poderão recorrer.

Se você identificou esses talentos no seu time, não os desaponte. Reconheça os esforços, celebre cada conquista, aplique *feedbacks* (e saiba recebê-los).

## Capítulo 15

### Coaching Parapsíquico, uma nova forma de enxergar e lidar com os conflitos humanos

Kátia Luzia Lima Ferreira

Uma nova visão de enxergar e lidar com os conflitos humanos e evoluir universalmente.

## Kátia Luzia Lima Ferreira

Nasceu em Teresina (PI), em 13 de dezembro de 1968. Pedagoga, educadora, pós-graduada em Gestão de Pessoas, bancária e *Professional and Self Coaching* pela AIC. Ministra *workshops*, palestras e atendimento na área holística, com foco em desenvolvimento humano. Pertence à Associação Nacional de Escritores – ANE. Bibl.: *Professor: um profissional transformador; Vivendo mais uma vida; Petita – coletânea de pensamentos de uma adolescente; O sangue do dragão*, 2014; participação como coautora: *Manual de Coaching, 2016*; e outros a serem lançados: *Tsara; Se a Lua fosse quadrada; Coaching – Quebrando paradigmas, realizando sonhos, abrindo portas, Amor e Ódio.*

**Contato**
katiallf@hotmail.com

O *coaching* é uma ferramenta que desperta a consciência, direciona energia para suas opções, gerando mudanças comportamentais e produzindo resultados positivos.

Parapsiquismo significa ter percepções além das possibilidades por meio do corpo físico, por exemplo, ver a aura, sentir as energias (positivas ou negativas), perceber multidimensionalmente as pessoas e o mundo.

Clarividência é uma percepção extrafísica visual de energias e de consciências (espíritos) que esteja em outras dimensões, e em todos os seres vivos.

O *Coaching* Parapsíquico é uma ferramenta para trabalhar os sentimentos, pensamentos e comportamentos que muitas vezes vivenciamos sem sabermos o significado e agimos de forma mecânica.

Precisamos melhorar a cada dia, mas mudamos quando sabemos o que mudar.

A releitura dos nossos atos, das situações que reproduzimos vida após vida.

Neste não há destaque de significados religiosos, mas casos de sucesso que levaram muitas pessoas a reavaliar suas vidas e a se reprogramar. Saindo de experiências criadas (ilusões) para ter consciência plena de seu papel no universo e mundo.

Buscar a autocura, a evolução espiritual, não perdendo tempo com situações negativas como ódio, raiva, depressão, inveja, angústia, ansiedade...

Muitas vezes nos perdemos em crenças que só colocam nosso ego acima de nossa felicidade, retirando o amor do nosso coração.

Precisamos nos despir de rótulos e buscar a nossa essência. Resgatar nossos sentimentos positivos mais profundos e utilizá-los para a cura das nossas imperfeições.

Quais são as armadilhas que criamos ao longo da vida que nos atrasam? Quais são as nossas fragilidades? O que nos impede de realizar momentos construtivos? O que falta para nos libertarmos?

Somos colocados à prova a todos os instantes para corrigir nossos defeitos. E qual a finalidade de toda essa "correção humana"? Sermos seres iluminados! Alcançar o estado da frequência maior – o equilíbrio.

É fundamental saber o que somos, o que precisamos aperfeiçoar e aonde queremos chegar; por isso, alguns gatilhos surgem no caminho. Gatilhos são situações que afloram nosso lado falho para nos curar.

Este aborda de forma ampla situações reais e práticas através da clarividência e do *coaching* para o processo evolutivo, progresso profissional, sucesso e equilíbrio emocional, execução de metas e diversos objetivos pessoais e empresariais.

O *Coaching* Parapsíquico utiliza ferramentas, técnicas e seu parapsiquismo para tirar o *coachee* da zona de conforto e o motivar a pensar de maneira realista, trazendo revelações que deem novo sentido a tudo na sua vida. Vejamos um dos casos de sucesso:

**Superando insegurança:** a *coachee* me procurou com o objetivo de não sentir insegurança no seu matrimônio, pois não conseguia ter a sua própria vida e vivia em função do marido, sufocando-o.

**Diagnóstico:** verifiquei se não existia nenhuma presença extrafísica (obsessor, espírito etc.); os chacras não estavam em equilíbrio; a aura não estava límpida; ela liberava ectoplasma involuntariamente; não apresentava equilíbrio emocional; não apresentava nenhum tipo de magia, feitiço ou encantamento que a aprisionasse ou a induzisse; vi nas vidas anteriores recentes que a mesma carregava lembranças de características submissas e ainda não tinha "acordado/despertado" para esta vida.

**Procedimento:** a primeira etapa é conscientizar a *coachee* de todos os sentimentos que ela vivencia no dia a dia e despertá-la para a circunstância reprodutiva de ações passadas que tem realizado mecanicamente. A segunda etapa é enumerar os pontos que ela tem dificuldade e verificar o que a impede de ter uma atitude menos controladora, impulsiva, ciumenta e submissa. Terceira etapa: verificar quanto, em uma escala de zero a dez, está comprometida em reprogramar-se e, em seguida, transformar-se.

**Quarta etapa:** aplicar técnicas de *coaching*, como Roda da Vida, Abre-te Sésamo, definição de objetivos, Ganhos e Perdas, Levanta Astral, Poder Ilimitado, Tríade do Tempo e outras mais com base em perguntas poderosas, a fim de que a *coachee* obtenha uma vida de resultados. A quinta etapa ocorre dentro da clarividência, onde o *Coaching* Parapsíquico faz uma análise dos perfis de seus familiares e envolvidos com o objetivo de diagnóstico visual, a correlacionar-se com cada um, e apresentar através da constelação, ou outra técnica, o papel de cada um na vida do *coachee*. Sexta etapa: realizar um balanço com a *coachee* sobre seus resultados até o momento. Sétima etapa: analisar com o *coachee* se a transformação foi concretizada. As outras etapas serão criadas conforme a necessidade e o perfil da transformação do *coachee*.

**Conclusão:** o resultado foi um sucesso além das expectativas, porque para acontecer toda a transformação foi preciso mudar o padrão da energia, então, à medida que ela aumentava o nível do pensamento, ficava mais autoconfiante e começava a acreditar que era possível realmente modificar-se, e consequentemente transformou-se de acordo com a exigência das situações. Os chacras foram reativados, proporcionando maior equilíbrio bioenergético, e conseguiu obter mais controle sobre suas próprias energias e transmissão de ectoplasma. De acordo com cada etapa realizada, aos poucos a *coachee* conseguiu despertar para a vida desta dimensão. E o que destacou foi a *performance* no contexto evolutivo.

O objetivo deste é despertar no leitor que o grau de consciência pessoal determina sua evolução. E a evolução consiste em aperfeiçoar nossas características.

Precisamos ter a consciência de que todo sentimento inferior necessita ser trabalhado, então algumas pessoas e circunstâncias são gatilhos para melhorar nossos pensamentos e sentimentos; aperfeiçoar os comandos dos corpos emocional e mental, a fim de sermos felizes, pois a felicidade traz a evolução de forma mais rápida do que a infelicidade, a tristeza, a mágoa...

A autoevolução, a cosmoética, o buscar fazem parte de nós, passageiros eternos e não momentâneos, pois precisamos eliminar todo sentimento que não condiz com um perfil evolutivo.

Precisamos enxergar o lado positivo nas pessoas e situações. A consciência é tudo em nós, é através dela que se processa a evolução dos homens. E nos permite chegar às frequências às quais optamos estar.

Procuramos dia a dia o autodesenvolvimento, o autoconhecimento, a busca por excelência e a melhoria contínua para adotar novos padrões mentais e comportamentais. Somente assim vamos eliminar os sabotadores das nossas vidas e traçar metas factíveis durante o percurso evolutivo.

Pensar em autorrealização é acreditar nas nossas potencialidades e habilidades, a fim de materializar nossa missão de vida. Então, o sucesso normalmente acontece no momento em que uma corrente de energia positiva é gerada quando se pensa, acredita, logo é materializada.

Devido ao Universo nos devolver o que mandamos, seguimos padrões internos de verdades: a razão e a ação que irá gerar a frequência da materialização.

O *Coaching* Parapsíquico aumenta a *performance* individual e a autoestima, encaminhando a aprendizagem de se posicionar e melhorando a autoconfiança e a visão das perspectivas e possibilidades.

Todas as conexões do indivíduo com o Universo são ativadas porque o poder pessoal é libertador.

Várias mudanças acontecem quando o *coachee* quebra paradigmas que o prendiam. E a primeira é tornar-se resiliente, respeitar as opções das outras pessoas e aprender a conviver com a diversidade cultural.

Quando nos tornamos desafios para as nossas próprias metas ou quando o ego desequilibra nossas atitudes, precisamos repensar nossas crenças, valores, e nos submeter ao primeiro passo – a consciência de que é necessário mudar, crescer, deixar o passado e construir o futuro no presente, não cometendo os mesmos "erros" do passado. Claro que errar faz parte do processo, mas acomodar-se nos mesmos erros é estagnar-se nas dimensões.

Reavaliar-se sempre, e verificar como está sua inteligência emocional é impulsionar-se aumentando seus limites multidimensionais.

Como verificar se você está no caminho certo? Perguntando para si mesmo: qual é o significado do que você faz?

Tudo que fazemos é para todos, pois fazemos parte de um contexto único – unicidade, e dentro dessa somos elementos cósmicos em evolução, seres iluminados, seres humanos. Logo, o sentimento de gratidão é muito presente quando existe essa consciência.

Rever os sentidos e significados é muito importante para não cairmos na omissão, na generalização e na distorção, que poderão ser os pontos negativos para não aceitarmos a realidade da necessidade da mudança interior. Filtrar tudo que nos envolve será eficaz para atingir a segurança interior necessária ao atingimento de como lidar com os gatilhos no nosso processo evolutivo multidimensional.

Em cada percurso (vida) nos redefinimos constantemente para sentirmos se estamos chegando aos objetivos propostos, e o nível de atingimento é estar ou ser feliz.

Sair da zona de conforto é desagradável, mas precisamos, se quisermos ter sucesso existencial. E um dos segredos para conseguir esse sucesso é o perdão. Perdoar-se, curar-se, libertar-se, gerar atitudes para deixar o seu eu pronto para criar oportunidades e enxergar possibilidades.

Quando é que percebemos que estamos um ser cósmico ativo? Quando, além de transformar as nossas vidas, conseguimos transformar outras vidas. Quando a nossa luz não é só nossa e gera energia para outras vidas.

# Capítulo 16

## Em busca da realização profissional

**Lucedile Antunes**

Neste capítulo, compartilharei diversas dicas interessantes que ajudarão você a buscar seu propósito pessoal, identificar seus diferenciais e oportunidades de aprimoramento e estruturar o seu plano de desenvolvimento em busca da sua realização profissional.

## Lucedile Antunes

*Coach* formada pelo ICI – Integrated Coaching Institute, credenciada pelo ICF – International Coach Federation, diretora da L. Antunes Consultoria & Coaching, empresa de consultoria em gestão organizacional, treinamentos *coaching* e *mentoring*. Autora de diversos artigos sobre Gestão de Pessoas & Processos, engenheira civil de formação pela Faculdade de Engenharia Industrial (FEI) com pós-graduações nas áreas de Responsabilidade Social (USP), Gestão para Excelência do Desempenho (FGV), Gestão Ambiental (FEI), Excelência em Gestão de Pessoas (Disney Institute) e Empreendedorismo (Endeavor).

**Contatos**
www.lantunesconsultoria.com.br
lucedile@lantunesconsultoria.com.br
LinkedIn: Lucedile Antunes
(11) 98424-9669

O primeiro passo consiste em refletir sobre o seu propósito, ou seja, qual a sua missão pessoal. Recomendo que escolha um ambiente tranquilo. Para ajudá-lo, vou colocar algumas questões abaixo que podem ser úteis nessa reflexão:

- Qual você acredita ser o seu propósito?
- Que tipo de trabalho ou atividade inspira você?
- O que especificamente o atrai profissionalmente?
- O que o estimula quando está realizando as suas atividades?
- O que faz você sorrir e brilhar os olhos?
- O que deixa você realizado?
- Pelo que você deseja ser lembrado?
- Quais são suas conquistas mais valiosas?
- O que as pessoas dizem sobre você?
- Se pudesse mudar algo, o que seria?
- Se pudesse ensinar algo, o que seria?

Quando falamos de propósito, a vida é muito mais do que ir trabalhar todos os dias para ganhar dinheiro. É um caminho que pode ajudar você a fazer a diferença na vida das pessoas.

Agora você já consegue definir claramente seu propósito pessoal? Sugiro que escreva em uma folha de papel e deixe visível para que sempre possa revisitar.

O segundo passo muito importante é a autoconsciência. Consiste em uma autoavaliação, para um conhecimento mais profundo de si, como um momento de introspecção para um olhar interno.

Somos criados para conhecer o mundo de fora e não o mundo interior.

Essa autoavaliação pode ser feita, por exemplo, utilizando a ferramenta do SWOT, que consiste em identificar suas "Forças", "Fraquezas", "Oportunidades" e "Ameaças". Eu gosto muito dessa ferramenta, pois é prática.

|  FORÇAS | FRAQUEZAS |
|---|---|
| **SWOT PESSOAL** | |
| OPORTUNIDADES | AMEAÇAS |

Nesta reflexão, liste os seus pontos fortes como profissional, tais como, por exemplo, "sou engajado", "visto a camisa da empresa", "sou tecnicamente preparado", "amo o que faço" etc.

Depois pense nos seus pontos fracos, ou seja, suas fraquezas, tais como, por exemplo: tenho dificuldades de lidar com os desafios, não sei dizer não quando é necessário, tenho pouca paciência com algumas pessoas, não consigo defender minhas ideias, não sei conduzir a atividade "x" etc.

Nesta primeira parte, você fez uma reflexão sobre você, reconhecendo seus diferenciais, que são seus pontos fortes, e suas fraquezas, que precisam ser reconhecidas e trabalhadas.

Agora que você ampliou sua consciência sobre si, olhe para uma perspectiva maior, ou seja, quais são as oportunidades que você poderia explorar para o seu crescimento e evolução em busca do seu propósito pessoal. Por exemplo: atuar numa nova área na empresa, buscar uma nova qualificação, pesquisar sobre as novas tendências profissionais e se atualizar, entre outras, ou seja, oportunidades que abririam novas portas e preencheriam você, se sentindo um profissional feliz e realizado.

E, por último, pense nas ameaças, ou seja, se decidir ficar parado ou estagnado, quais as ameaças futuras. Por exemplo:

perder uma oportunidade interna na empresa de promoção ou não poder concorrer a uma vaga dos sonhos, por não ter o inglês fluente como segunda língua etc.

Quando temos mais consciência, temos mais engajamento com a nossa missão pessoal.

Muito bem, feito isso, você terá uma visão clara dos seus diferenciais que deve preservar, dos pontos que necessita evoluir, das oportunidades que poderá explorar e das chances que poderá perder se não fizer nada.

A tomada de consciência é o primeiro passo para as mudanças!

Agora já podemos ir para o passo 3, que consiste em definir sua meta estratégica de curto e longo prazo.

Para esta definição, você deve refletir sobre o que motiva você, aonde gostaria de chegar e o que realiza você e dá prazer.

Defina aonde quer chegar e como quer estar. Vamos ver um exemplo:

| Como quero estar? |
| --- |
| **Curto Prazo (exemplo em 1 ano)** |
| Ser uma profissional reconhecida na área de *marketing*, pela criatividade e assertividade na condução das campanhas. |
| **Longo Prazo (exemplo em 3 anos)** |
| Ser gerente da área de *marketing*, sendo reconhecida pela equipe como uma líder que inspira e desenvolve o time, muito humana e admirada. |

É muito importante que seus valores pessoais sejam levados em consideração na definição das suas metas de curto e longo prazo.

Caso seus valores pessoais sejam muito diferentes da empresa onde trabalha, responda se é nesse lugar que você quer estar. O que está em jogo nessa definição é a sua felicidade e realização, em busca do seu propósito pessoal.

Conhecido o que precisa desenvolver e aonde quer chegar, o quarto passo consiste em você estruturar o seu plano de ação.

## Profissional de alta performance

Defina três metas que devem ser cumpridas e três ações necessárias para atingir as metas, e vá dando seus passos de três em três metas, ou seja, cumpridas as três metas e ações esperadas, defina novas três metas, e assim sucessivamente.

Nunca se esqueça de no decorrer dessa trajetória comemorar cada conquista, e se mantenha focado de onde quer chegar.

Em momentos de falta de motivação, baixa energia ou falta de foco, reflita sobre ganhos e perdas, ou seja, o que eu perco parando ou deixando de fazer as ações que defini para buscar a minha realização profissional. O que eu deixo de ganhar? E se eu me colocar em ação e foco, aonde posso chegar?

Supere seus obstáculos. Busque caminhos em que você possa usar todo o seu talento.

Outra dica valiosa que compartilho com você: não caminhe sozinho.

Ouça as pessoas, seus pares, sua equipe, seu líder, para identificar o que precisa melhorar e em que é muito bom. Lembre-se de que muitas vezes a sua percepção pode ser muito diferente das percepções das outras pessoas, ou seja, algo em que você se considera muito bom pode não ser a visão dos outros, e vice-versa.

Além do seu desenvolvimento pessoal, você também deve aprimorar a sua interação com as pessoas da empresa, seja com aquelas da sua área ou com outras das demais áreas.

Quando trabalhamos em uma empresa, devemos entender que temos diversos clientes internos, que são as pessoas para as quais você entrega algo.

É muito importante ouvi-los e alinhar expectativas sobre as suas entregas.

Com isso, você também poderá simplificar suas rotinas, se tornar mais eficiente, ajustar suas entregas e ter seu cliente interno satisfeito, gerando também uma sensação de missão cumprida.

Nos meus projetos de coaching e consultoria organizacional, muitas vezes as pessoas me procuram para dizer que se dedicaram a um determinado trabalho que não atendeu às expectativas da pessoa solicitante, e a sensação é de frustração e incompetência.

Já parou para pensar que isso também aconteceu com você? E por qual motivo isso às vezes acontece?

Esse tipo de frustração é muito comum, e ocorre porque você provavelmente não fez uma confirmação do que a outra parte espera do seu trabalho. Quais as entregas necessárias? Como elas devem ser feitas? Percebo que as pessoas têm uma tendência a concluir o que o outro espera, em vez de buscar uma confirmação clara das reais necessidades e expectativas, e isso acaba gerando muitos retrabalhos.

Outro ponto muito importante: você deve buscar *feedbacks* periódicos, seja do seu líder, da sua equipe ou dos seus colegas de trabalho. Os *feedbacks* ajudarão você a medir a sua evolução e identificar se há a necessidade de fazer algum ajuste.

Durante essa trajetória, é importante identificar crenças que possam estar limitando a sua evolução.

Crença é tudo aquilo que o indivíduo tem como verdade. É como um pensamento já inserido na sua personalidade.

Crenças, verdades e certezas podem ser limitantes, ou seja, podem limitar o desenvolvimento do ser.

À medida que uma pessoa vai formando essas crenças, ela pode formar um círculo vicioso na intenção de não romper com um determinado pensamento, tendendo a repeti-lo. Por exemplo, se você possui uma crença de fracasso, provavelmente não se dedicará de forma eficaz ao seu trabalho, afinal de contas, por que você se esforçaria se tem a certeza de que não terá sucesso em um determinado projeto? Sem dedicação, não haverá evolução profissional, e essa estagnação reforçará ainda mais a sua crença de fracasso.

É importante transformar crenças limitantes em crenças fortalecedoras. Crenças, portanto, são tudo aquilo em que acreditamos. Você pode mudar a qualidade do que você pensa e acredita, e fazer novas escolhas, com crenças fortalecedoras de abundância e pensamentos positivos.

E o último tema que gostaria de abordar com você é Inteligência Emocional, bastante falado na atualidade.

Primeiramente, vamos à definição: Inteligência Emocional é um conjunto de habilidades emocionais e sociais que influenciam como nos relacionamos com nós mesmos e com os outros, como desenvolvemos e mantemos relações sociais, como expressamos ideias e manifestamos comportamentos, como usamos a informação emocional de um modo efetivo e significativo para tomar decisões e como lidamos com as tensões e desafios do cotidiano (Steven J. Stein e Howard E. Book).

A Inteligência Emocional tem um papel predominante na *performance* do profissional. É o agir com inteligência e equilíbrio, é o saber se colocar na hora certa, no momento certo, com as palavras certas. É fazer escolhas do tipo: "será que vale o desgaste para querer ter razão?". É viver feliz.

São os inúmeros sentimentos não resolvidos, que trazem o descarrilamento emocional.

O que nos move são as emoções, elas são basicamente impulsos para agir, são essenciais para a vida, pois por meio delas interagimos com o mundo.

Para agir com inteligência emocional, é necessário desenvolver: autopercepção: como nos vemos e nos percebemos; autoexpressão: como nos comunicamos; relação interpessoal: como nós nos relacionamos; tomada de decisão: como nós usamos as informações emocionais para a tomada de decisão; gerenciamento do estresse: como nós lidamos com a imprevisibilidade e mudanças no dia a dia.

Lembre-se de que a felicidade é, na verdade, a soma três fatores diferentes: significado, engajamento e prazer.

Portanto o que de fato traz a realização profissional é trabalhar em algo que faça sentido para você, que tenha um significado maior e esteja alinhado à sua missão pessoal. O engajamento é a profundidade e o envolvimento com que você se entrega ao que faz, e que tudo que você realize seja prazeroso e gere um brilho nos seus olhos.

Fico por aqui, espero que aproveite todas as minhas dicas e possa se colocar em ação. Muito sucesso para você!

Um abraço,

Lucedile Antunes

**Referência**
STEIN, Steven. BOOK, Howard E. *Emotional intelligence and your success*. 2011, Jossey-Bass.

## Capítulo 17

### Saúde integrada: físico

*Marcelo Cunha Ribeiro*

Atualmente, a maioria de população é sedentária e uma mudança para uma vida ativa é necessária. Obter conscientização mental e querer realizar exercícios têm seu papel primário. Também é essencial a reestruturação dos hábitos e apresentar alegria e prazer na regularidade saudável. Assim, caminhar rumo a um treinamento integrado e um novo estilo de vida de alta *performance* geral da vida.

## Marcelo Cunha Ribeiro

Graduação em Ciência do Esporte – UEL, pós-graduação em Nutrição Esportiva pela UGF de São Paulo. Pós-graduação em Treinamento Personalizado (UniFMU-SP). Formação internacional em *Coaching* Integral Sistêmico – Febracis. Pós-graduação em Manejo Florestal – WPOS. Presidente da ARESB (Associação dos Resinadores do Brasil). Coordenador da Área 6 – Ministério Jovem APSO – IASD. Quase 20 anos estudando a área de saúde e bem-estar, atuando como professor, *personal trainer*, proprietário de academia, palestrante e consultor. Idealizador do projeto Sementes da Vida (Racional, Emocional, Físico, Nutricional e Espiritual).

**Contatos**
www.sementesdavida.com
marcelo@sementestecnologicas.com.br
(14) 99754-8142

Primeiramente gostaria de agradecer a você, leitor(a), pela oportunidade de obtermos um melhor relacionamento e parabenizá-lo pela busca de constante aprendizado. Desejo através desta literatura levá-lo ao conhecimento mais aprofundado de como o módulo Físico está inserido dentro do conceito Sementes da Vida (Racional, Emocional, Físico, Nutricional e Espiritual). Uma visão macro desse conceito foi detalhado no livro *Coaching, mude seu mindset – volume 1*, no *volume 2* detalhamos o módulo Racional, no livro *O poder do otimismo* descrevemos o módulo Emocional e no livro *Vida em equilíbrio* – módulo Nutricional, todos em parceria com a editora Literare Books.

O princípio de minha prática pessoal de atividade física foi na infância em Avaré-SP, executando algumas atividades lúdicas, como andar de bicicleta, futebol na rua, natação no clube e, somente na adolescência, exercícios regulares programados em academia de musculação e basquetebol com o objetivo de perda de peso devido à tendência em engordar.

Devido aos resultados conseguidos, interesse em esportes e apreciar a área de saúde, decidi me aprofundar nesse assunto de maneira profissional, portanto, em 1999, fui para Londrina-PR e participei da primeira turma de graduação do curso de Ciência do Esporte, na UEL. Foi onde obtive os primeiros ensinamentos sobre o pilar Físico. Obtive excelentes professores e amigos muito unidos, foram 4 anos dedicados ao estudo da anatomia humana, treinamentos esportivos, esportes variados, fisiologia, histologia, medicina esportiva, *marketing*, biomecânica, psicologia esportiva, crescimento e desenvolvimento motor e muito, muito mais. Tive o privilégio de trabalhar como estagiário em academias de grande porte e atender centenas de alunos que buscavam mais saúde e qualidade de vida.

Na corrida para ser um profissional de alta *performance* fui para São Paulo continuar meus estudos e realizar pós-graduação em Nutrição Esportiva e Treinamento Esportivo, essa última não finalizada devido ao início de trabalho na Bio Ritmo Paulista. Nessa academia, realizei muitos treinamentos, como de consultoria em vendas, aprendi o DISC, participei do projeto Face to Face e fui muito feliz sendo um professor de elevada capacidade, pois era um apaixonado por esse trabalho, gostava muito de atender aos alunos e auxiliá-los na busca por melhor qualidade de vida.

Depois de terminar duas pós-graduações, resolvi voltar para Londrina-PR e abrir uma academia expressa, a Citrus Gym, com o ex-sócio Roberto Tupan. Foi uma importante etapa devido ao melhor entendimento e prática de empreendedorismo, gestão empresarial e pessoas, liderança e, principalmente, execução de projetos, foi o momento de idealizar uma primeira parte da missão que tenho. Em parceria com uma nutricionista e uma psicóloga, realizamos o Projeto *Wellness* – que uniu os pilares Atividade Física, Psicologia e Nutrição, em que 18 pessoas realizaram durante 12 semanas esse treinamento integrado e obtiveram resultados excelentes.

Posteriormente, me mudei para Maringá-PR e trabalhando com palestras, consultorias e na TV, no programa *Destaque*, da Rede Massa (SBT), estruturei o Sementes da Vida (Racional, Emocional, Físico, Nutricional e Espiritual), programa no qual 12 pessoas treinaram durante 10 semanas, compreendendo esses pilares e obtendo ótimos ganhos em qualidade de vida.

Durante essas experiências como professor e proprietário de academia, atendendo a muitos alunos na realização de um corpo saudável, acredito que cinco passos são fundamentais para buscar e obter resultados em relação ao exercício físico e qualidade de vida. São eles: 1- mental (conhecer atividades e querer fazer), 2- reestruturação dos hábitos, 3- alegria e regularidade, 4- Perigos: ambiente externo e 5- Corpo integrado.

### 1) Mental

O primeiro passo para a busca de uma vida ativa é o Mental. Conhecer os diversos tipos de modalidades existentes (academia, caminhada, futebol, basquete, tênis etc.) e querer fazer essas atividades se tornam os pontos chaves dentro do processo em busca de uma melhor qualidade de vida.

Conscientizar seu cérebro com vontade, escolher a atividade física a se realizar, buscar uma meta e motivação serão essenciais para obter os resultados e sonhos almejados.

### 2) Reestruturação dos hábitos

Depois da conscientização mental em busca de qualidade de vida e escolha de um tipo de atividade a realizar, inicia-se a prática.

Nossa rotina diária deverá ser reestruturada, alguns momentos de nossa semana serão dedicados a essa nova caminhada rumo a uma vida ativa.

Corpo e mente precisam de transformação e essas mudanças regularizam a harmonia das células do organismo. O que parecia difícil a princípio torna-se fácil pela repetição constante, e pela repetição dos atos forma-se os hábitos.

### 3) Alegria, prazer e regularidade

No livro *A semente da vitória*, Nuno Cobra detalha que saúde é alegria de viver. É estar encantado com a vida. É ter entusiasmo, energia, vitalidade, disposição. Saúde é um processo de equilíbrio do organismo. A pessoa encantada com a vida tem o cérebro trabalhando na formação de hormônios de altíssima qualidade que vão nutrir a perfeita elaboração da química interna nas bilhões de reações que ocorrem no organismo todo o tempo.

Realizar atividade com prazer, satisfação e esperança libera hormônios que regularizam e beneficiam as funções das células do corpo. A regularidade e moderação são muito adequadas para manter a saúde e alcançar longevidade.

### 4) Perigos: ambiente externo

Devido ao mundo globalizado, muito se alterou em nosso padrão de estilo de vida rápido e estressante nessa corrida contra o tempo. Os principais agentes externos que prejudicam a busca pelo equilíbrio saudável são o modismo e o imediatismo.

Dietas milagrosas e exercícios extenuantes são apenas exemplos da grandiosa publicidade enganosa que absorve a mente populacional com resultados inexistentes, que não desenvolvem a vida e saúde de modo balanceado.

### 5) Corpo integrado

Acredito que a capacitação holística de nosso corpo é o modelo mais adequado para uma vida ativa e saúde integrada. Trabalhar nossos módulos Racional, Emocional, Físico, Nutricional e Espiritual fará que tenhamos uma qualidade de vida mais eficiente, englobada, sistêmica e harmoniosa.

Na busca do profissionalismo e alta *performance* criamos o VIDA10, que é uma plataforma virtual que contém treinamentos físicos como o Treino Vida10, Alongamentos e Sensório Motor, local para inserção de fotos antes e depois, Roda Sementes, que analisa doze palavras-chaves de cada pilar do conceito, *link* para *blog* em que especialistas terão permissão a inserir seus conteúdos e muito mais será desenvolvido. Estamos em fase de aperfeiçoar esses projetos citados anteriormente e, em parceria com uma faculdade de Avaré, realizaremos um estudo científico com participantes que passarão por várias etapas e desafios para obter uma qualidade de vida mais integrada.

Vale ressaltar que essa metodologia não visa somente emagrecimento, estética e *fitness*, muito pelo contrário, a busca incessante pelo ser perfeito corrompeu o plano original de nosso corpo. Buscamos ressaltar o conceito *Wellness*, o bem-estar, a saúde integrada e holística, em paz e harmonia mental, física e espiritual e, em consequência disso, obter um corpo mais agradável e, sem pressão e preocupação, obter uma vida plena e agradável.

Atualmente, nos empenhamos em realizar esse sonho e missão, ajudar você e uma maior quantidade de alunos, familiares, amigos e pessoas nesse entendimento da saúde integrada, assim como obter sabedoria para realizar.

### FÍSICO – Teorias literárias

A prática da atividade física vem sendo estudada por vários autores. A flexibilidade, a força e a resistência aeróbia devem constar em um programa de atividade física para sedentários e não atletas (MONTEIRO, 2002).

Segundo Rodrigues e Rocha (1985), as qualidades físicas envolvidas em treinamentos são: força, resistência, potência e flexibilidade.

Williams (2002) define a atividade física como qualquer movimento corporal causado por contração muscular que resulta em gasto de energia.

Segundo a Organização Mundial da Saúde, "saúde é um estado de bem-estar físico, mental e social completo, e não apenas a ausência de doença e enfermidade (Mc ARDLE et al, 1998).

O estudioso americano Charles Corbin propôs a denominação *Wellness*, ou bem-estar, sendo a integração de todos os aspectos da saúde e aptidão (mental, social, emocional, espiritual e física). Em síntese, *Wellness* é o equilíbrio do ser humano com seu ambiente, sua psique, seu corpo (SABA, 2006).

Vidoto (2014) salienta que a falta de atividade física é responsável pelo mesmo número de mortes associadas ao tabagismo. O grupo de sedentários é de 1,5 bilhão de pessoas, o que representa 31,1% dos adultos do mundo. No Brasil, 49,2% das pessoas são inativas.

Todos devem andar ao ar livre, diariamente. Haverá aumento de vitalidade, tão necessária à saúde. Os pulmões realizarão a atividade indispensável em uma caminhada, sendo mais benéfica à saúde do que todos os remédios que os médicos possam prescrever (WHITE, 2013).

Entretanto, falta reconhecer que colocar o desejo de ser saudável em prática é extremamente difícil. Temos vidas complexas, estressantes, e dispomos de menos tempo do que precisamos para fazer tudo que é importante para nós. Vivemos em ambientes que nos desestimulam a praticar atividades, recompensam o tempo que passamos em frente à televisão e nos tentam com refeições baratas e nada saudáveis (BRADBURY e KARNEY, 2014).

## Roda física

Responda a esse questionário classificando cada palavra-chave com a nota de 1 a 10 (sendo 1 para pouco significativo e 10 para muito significativo), analisando o quanto ela é considerável e relevante para você, e obtenha a sua classificação do Físico.

1. **Atividade física** – É regular com exercícios programados. Gasta energia movimentando seu corpo. Nota de 1 a 10 _____.
2. **Ser Ativo** – Costuma ser uma pessoa com disposição, realizando atividades e dominando a preguiça. Nota de 1 a 10 _____.
3. **Corpo saudável** – Possui estrutura corporal saudável e com bons índices em exames de sangue. Nota de 1 a 10 _____.
4. **Definição muscular** – Tem tônus muscular no corpo. Realiza exercícios para perda de gordura. Nota de 1 a 10 _____.
5. **Força** – Possui potência muscular para superar obstáculos e levanta objetos pesados sem sentir dores. Nota de 1 a 10 _____.
6. **Energia** – Age com ânimo, vontade e prontidão. Se sente disposto para as atividades no dia a dia. Nota de 1 a 10 _____.
7. **Postura** – Anda com o corpo ereto e se senta adequadamente, se lembrando de manter a coluna alinhada. Nota de 1 a 10 _____.
8. **Condicionamento** – Tem padrão e harmonia cardiovascular, resiste aos desafios físicos do cotidiano. Nota de 1 a 10 _____.
9. **Flexibilidade** – Apresenta alongamento articular maleável, consegue se movimentar sem danos. Nota de 1 a 10 _____.
10. **Hábito** – Alcança uma rotina verdadeira de atividade física, pelo menos três vezes por semana, mais de 30 minutos. Nota de 1 a 10 _____.

**11. Coordenação Motora** – Domina o corpo no espaço que se encontra, tem equilíbrio das articulações. Nota de 1 a 10 _____.

**12. Autoestima** – É satisfeito com sua individualidade, valoriza sua saúde e cuida do corpo de modo geral. Nota de 1 a 10 _____.

Preencha a roda física, tire uma foto e envie para o e-mail marcelo@sementestecnologicas.com.br, e você receberá um brinde muito especial totalmente grátis!

**Referências**
BRADBURY, Thomas, KARNEY, Benjamin. *Casais inteligentes emagrecem juntos*. Editora BestSeller, 2014.
COBRA, Nuno. *Semente da vitória*. Editora Senac. 2003.
McARDLE, William D. et al. *Fisiologia do exercício*. Editora Guanabara Koogan, 1998.
MONTEIRO, Artur G. *Treinamento personalizado*. Editora Phorte, 2002.
RODRIGUES, Carlos E. C., ROCHA, Paulo E. C. P. da. *Musculação*. Editora Sprint, 1985.
SABA, Fábio. *Liderança e gestão*. Editora Phorte, 2006.
VIDOTO, Márcia L. *Saúde nua e crua*. Editora do Autor, 2014.
WHITE, Ellen G. *Conselhos sobre saúde*. CPB, 2013.
WILLIAMS, Melvin H. *Nutrição para saúde, condicionamento físico e desempenho esportivo*. Editora Manole, 2002.

## Capítulo 18

### Não existe almoço gratuito

*Márcio de Almeida Ribeiro*

O ser humano, por natureza, não gosta de perder. Por experiência aprendemos que existem dois tipos de perdas: Tempo e Dinheiro. Através do autoconhecimento, temos a capacidade de buscar e analisar quais são as melhores opções no campo profissional, pautada naquilo que nos trará realização em todas as áreas. Buscar o verdadeiro propósito de vida fará total diferença em nosso caminho profissional.

## Márcio de Almeida Ribeiro

Graduado em Análise de Sistemas e pós-graduado em Gerenciamento de Projetos. *Professional Coach Certification, Executive Coach Certification, Coaching Clinic, Master Coaching Certification, Professional Team Coach* e Analista Comportamental são competências adquiridas com o a parceria da SLAC – Sociedade Latino Americano de Coaching. Trabalhou como gerente de projetos de tecnologia da informação e fez parte da equipe de planejamento estratégico no Tribunal de Contas do Estado de Mato Grosso. Palestrante nas áreas de Desenvolvimento Pessoal e Desenvolvimento de Carreira, atuando com foco na construção do PDC – Plano de Desenvolvimento de Carreiras.

**Contatos**
www.contato@profuturoconsultoria.com.br
(65) 99357-6644

## Márcio de Almeida Ribeiro

"Não existe almoço gratuito". Essa é uma célebre frase imortalizada pelo economista Milton Friedman, ganhador do Prêmio Nobel de Economia em 1976, professor por três décadas na Universidade de Chicago-EUA. Ele defendia que tudo tem um preço e, como consequência, alguém pagará por isso.

Destaco essa frase porque, mesmo sendo do século passado, ela está mais viva do que nunca.

O ser humano, por natureza, não gosta de perder. Porém, isso não significa que não existam perdas.

Devemos salientar que existem dois tipos de perdas principais que deixam o homem estressado. A primeira é a perda de tempo, quando investimos esforços, dedicação, suor, pesquisas etc. e não obtemos o resultado desejado, deixando-nos desmotivados a continuar. Muitas vezes essa perda pode ser de semanas, meses, anos e até uma vida inteira. A segunda é a perda financeira, quando investimos recursos em algo que esperamos retorno e isso não acontece.

Quando as duas coisas ocorrem juntas, temos aí uma bomba prestes a explodir. Com certeza, quando o indivíduo chega a essas conclusões, geralmente a tristeza e a preocupação chegam juntas.

Vou aqui narrar um exemplo típico, caso real que aconteceu em uma família.

Um adolescente que estudou a vida inteira em uma escola particular, onde as mensalidades eram pagas pelos pais, resolve fazer vestibular em uma universidade privada. Entre as mais de cinquenta opções de cursos existentes em sua cidade, ele escolheu aquela que, em seu ponto de vista, dava o maior "status". Foi então que decidiu como primeira opção o curso de Direito. Esse era então o curso de seus sonhos e o seu pai se alegrara muito, pois sempre dizia: "Meu filho será um doutor". O filho fez o exame e, como se esperava, passou de primeira. Festas, abraços, comemorações e tudo o que tinha direito a sua família fez para celebrar o evento. Na data certa, lá foram eles fazer a matrícula do mais novo aprendiz de doutor da cidade. Ao saber o valor das mensalidades, os pais levaram um susto, mas para realizar um sonho valeria a pena investir na carreira do filho. O valor da mensalidade, na ocasião, era em média mil reais mensais.

Aos seis meses de estudo, o aluno começou a questionar se realmente valeria a pena estudar tantas matérias. As leituras o deixavam exausto, as notas eram abaixo da média e o desânimo começou a persegui-lo. Ele pensou: "Vou continuar até o fim do ano e ver no que vai dar."

O fim do ano chegou, dois semestres se foram e junto a eles um montante de recursos que chegou a 22.500 reais. Esse valor se refere a mensalidades, matrícula, transporte, alimentação, livros, xérox, *notebook* etc.

Valeria a pena esse investimento se o filho, no fim de ano, não dissesse ao pai que não gostaria mais de continuar aquele curso. O pai, com um pouco de tristeza e um nó na garganta, passou a mão na cabeça do filho e disse: "É assim mesmo, meu filho, busque outro curso que você quer". E lá se foi um ex-doutor advogado...

No ano seguinte, o filho começou o curso de Matemática, pois achava que aquela era a profissão ideal para a sua vida: ser professor.

Infelizmente a história se repetiu, pois, após um ano estudando Matemática, fechou o curso. No ano seguinte fez Tecnologia da Informação e, por fim, se realizou verdadeiramente no curso de Nutrição. Toda essa trajetória teve um custo, e como não existe almoço gratuito, alguém teve que pagá-lo.

Os três anos de tentativas custou ao pai aproximadamente 60 mil reais e, se somarmos com os anos de estudo no curso de Nutrição, são mais 50 mil reais (4 anos).

Você já imaginou o quanto de recursos financeiros e tempo foram gastos até o momento do aluno se encontrar com o curso ideal?

Temos que pensar no que leva as pessoas a escolherem cursos que acreditam ser o ideal e depois desistem no meio do caminho. O pior é quando se conclui um determinado curso, gasta-se uma fortuna, não tem retorno financeiro e depois busca-se outro tentando encontrar o curso correto.

Um dos motivos que influenciam os adolescentes são o que chamamos de curso da moda. Geralmente isso vem junto com um determinado status, que fazem brilhar os olhos das pessoas. Exemplo disso são os cursos de Direito e Medicina. Não estou aqui afirmando que tais cursos são de pessoas que visam exclusivamente o status. Estou dizendo que algumas pessoas, em relação ao seu comportamento, buscam mais o status do que a verdadeira profissão. Temos que tomar cuidado com isso.

Outro motivo é o efeito manada. Isso ocorre quando um grupo de pessoas, geralmente as mais soltas, influentes e comunicativas, tende a um determinado curso, e outras pessoas, ao observar, acabam achando que a melhor opção é acompanhá-las.

Os professores e mestres também são influenciadores, podendo direcionar as decisões dos alunos. Sabemos que em nosso país a classe de professores não é valorizada como deveria, fazendo com que se reduza cada vez mais os professores de alta qualidade, aqueles capazes de ministrar uma aula com amor.

Os pais talvez sejam o principal responsável pela orientação profissional de seus filhos. Muitas vezes, eles, inconscientemente, forçam os filhos a fazer cursos que eram os sonhos deles (pais). Sonhos frustrados e que por um motivo ou outro não puderam ser realizados em tempo hábil. Acredito que muitas vezes isso ocorre sem que tenham essa percepção, sem dolo. E o pior, o filho, para não desagradar ao pai, que um dia foi seu herói, acaba aceitando tal situação e se submetendo a anos e anos de estudo, mal sabendo que será um profissional frustrado.

Não podemos esquecer do influenciador denominado: "Qualquer um serve". Esse tipo de influência pertence àqueles que estão totalmente sem rumo. Não quer ter o direito sequer de tentar acertar. São pessoas que acreditam que o importante é terminar qualquer curso superior, não importando qual. Pendurar o diploma na parede e mostrar a todos que concluiu um curso superior. Nem a própria pessoa sabe o porquê de ter realizado aquele curso, quanto menos ter algum tipo de retorno.

Veja abaixo os dois tipos macros de influência:

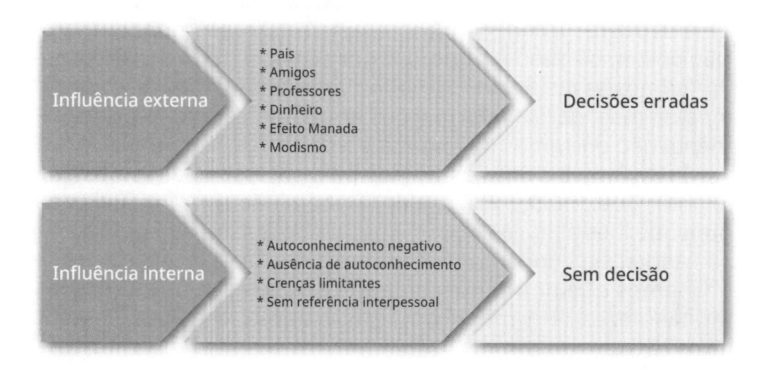

| Influência externa | * Pais<br>* Amigos<br>* Professores<br>* Dinheiro<br>* Efeito Manada<br>* Modismo | Decisões erradas |
|---|---|---|
| Influência interna | * Autoconhecimento negativo<br>* Ausência de autoconhecimento<br>* Crenças limitantes<br>* Sem referência interpessoal | Sem decisão |

Vamos falar agora de um assunto que influencia a carreira profissional já na adolescência: a desistência.

### O que tem feito nossos jovens a desistir do curso superior?

Alguns dos principais motivos são: falta de motivação, de interesse, questões financeiras, qualidade da universidade e alunos que não têm base escolar e se perdem na universidade.

Segundo uma pesquisa realizada pela UNESCO – Organização das Nações Unidas para a Educação, a Ciência e a Cultura, a qualidade do ensino que é oferecida aos alunos é o maior motivo do baixo índice de matrículas renovadas no país. A pesquisa informa que mais de 18% não retornam no ano posterior para fazer matrícula. Isso é um índice muito alto e deve ser levado em consideração.

### Mas o que podemos fazer para mudar isso ou pelo menos minimizar essa situação?

A resposta é simples, mas isso não quer dizer que é fácil.

Primeiro temos que entender que a nossa cultura é oriunda de colonizadores. Sim, a nossa origem veio de servir, desde 1500, à Portugal. Primeiro fomos escravos, proibidos de levantar quaisquer tipos de questionamentos. Tínhamos somente que obedecer. Não podíamos pensar, analisar ou sugerir; se ceifam as nossas possibilidades de pensamentos, não podemos fazer mais nada.

Segundo. Ainda não temos a cultura de ler, estudar, pesquisar, escrever, editar. Não fomos programados ou incentivados para ser livres e independentes em relação ao conhecimento. Não gostamos disso porque isso nos cansa, é chato e monótono. Preferimos as ideias prontas, o *fast food*, o *drive thru*. Não gostamos de mastigar as informações em nosso cérebro e principalmente não gostamos de pagar o preço.

Poderíamos culpar os nossos pais por isso. Mas temos que lembrar que, muitas vezes, eles também não tiveram auxílio algum que lhes ajudassem.

Agora, sim, podemos falar sobre o que fazer.

Temos que nos conhecer. Parece simples, mas as pessoas muitas vezes têm medo de se mostrar e, com isso, escondem o seu eu verdadeiro. Temos que saber quais as nossas aptidões, o que nos agrada, o que gostamos de fazer, o que nos deixa felizes, o que mesmo não tendo recebido dinheiro faríamos de graça. As crianças mostram tudo isso com muita tranquilidade, pois tudo é natural para elas, porém, na fase da adolescência, isso pode ser ocultado, por vergonha, medo do que os outros possam pensar, medo de errar, medo de não serem aceitas pela galera etc.

Sermos curiosos e proativos. Nos permitir a fazer pesquisas aprofundadas sobre as diversas profissões, mercado de trabalho, remuneração, principais obstáculos, pontos fortes etc. Temos que aprender a ser desbravadores, ir além, buscar sempre mais. Isso demanda uma mudança de comportamento e hábitos.

Aprendi que existem três grupos de pessoas: as que escalam a montanha, as que acampam no pé da montanha e as que retrocedem. A qual grupo você pertence?

Na vida temos que ter consciência de onde estamos e aonde queremos chegar. Isso é ter visão.

Os escaladores visualizam o cume da montanha, se preparam, planejam, buscam as ferramentas necessárias e vão "para cima". Sabem que terão dificuldades, mas isso não os amedronta, pois sabem que valerá a pena quando chegarem ao topo.

As que gostam de acampar ao pé da montanha são pessoas que até olham para cima, veem a beleza da montanha, pensam em fazer algo, mas não agem. Ficam somente na área do pensamento, na zona de conforto, esperando que as coisas aconteçam e caiam em seus braços. Morrem no meio do caminho e não conseguem enxergar que isso é um tipo de retrocesso.

As que retrocedem são as pessoas que acreditam que nunca chegarão ao topo da montanha. Em suas mentes, sua vida inteira foi marcada por derrotas e dificuldades impostas por outras pessoas e por elas mesmas. São pessoas que não tentam realizar e reclamam de tudo e de todos. Nada dá certo para essas pessoas e constantemente compartilham esse sentimento com as pessoas que estão ao seu redor.

Faço novamente essa pergunta: a qual grupo você pertence?

A mudança de hábito não se constrói da noite para o dia. Temos que entender como o nosso cérebro funciona. Veja a descrição a seguir:

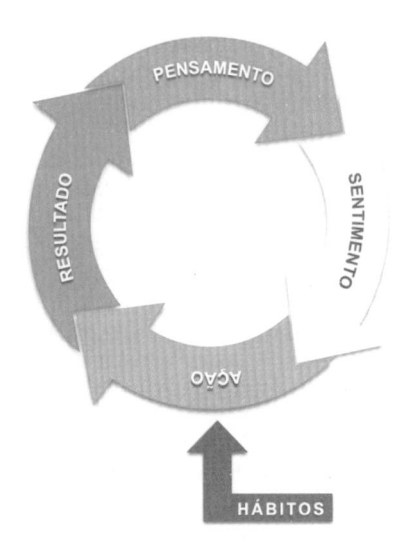

### Temos que aprender a planejar

O planejamento, ou melhor, a falta dele tem levado as famílias a passar dificuldades na caminhada de suas vidas. Nas escolas não nos é ensinado a planejar, organizar e, com isso, as pessoas crescem com essa lacuna, e constantemente passam por reveses que interferem no desenvolvimento profissional e pessoal. Daí a importância de sermos pesquisadores, buscar sempre alternativas eficazes.

### Devemos ter visão

É de suma importância que saibamos aonde queremos chegar. Sabendo aonde queremos chegar, poderemos fazer um planejamento macro e dividir em etapas e, através dos planos de ação, executar as tarefas propostas. Posterior a isso, podemos acompanhar o desenvolvimento das ações e checar para avaliar se o planejado foi realmente executado.

### Precisamos ter inteligência emocional

Segundo o pesquisador Daniel Goleman, Inteligência Emocional é a combinação de dois pilares. A primeira é a competência emocional social: a capacidade de você se conectar com o próximo e com a sociedade. E a segunda é a competência emocional pessoal: a capacidade de se conectar de forma harmônica e amorosa consigo mesmo. Ou seja, precisamos ter um ponto de equilíbrio entre as emoções sociais e as emoções pessoais.

### Por que é importante nos preocuparmos desde cedo com a carreira dos jovens?

Porque eles têm a responsabilidade de mudança de si mesmos, bem como da sociedade, e são um dos grupos mais afetados pelas altas taxas de desemprego, de acordo com a PNAD Contínua realizada pelo IBGE – Instituto Brasileiro de Geografia e Estatística.

Veja o gráfico: taxa de desemprego no Brasil[1].

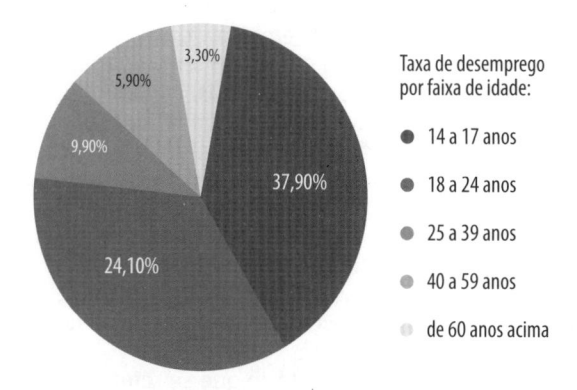

Taxa de desemprego por faixa de idade:
- 14 a 17 anos — 37,90%
- 18 a 24 anos — 24,10%
- 25 a 39 anos — 9,90%
- 40 a 59 anos — 5,90%
- de 60 anos acima — 3,30%

Perceba que se juntarmos a faixa etária de 14 a 24 anos, teremos uma taxa de desocupação de 62%.

Outra pesquisa realizada indica que metade dos jovens escolhe a carreira profissional sem conhecer a profissão. Qual a probabilidade de isso dar certo? Veja os dados da pesquisa abaixo.

Escolhas de cursos universitários:

- 63% - escolas públicas
- 59% - escolas privadas
- 54% dos alunos que já decidiram afirmaram que nunca tiveram algum contato com a profissão escolhida
- 27% assumem terem dúvidas sobre o mercado de trabalho.

---

1 Fonte: https://economia.uol.com.br/empregos-e-carreiras/noticias/redacao/2016/05/19/desemprego-entre-os-jovens-de-ate-24-anos-chega-a-241-diz-ibge.htm

### E quando isso ocorre na fase madura da vida?

De acordo com o ISMA – Instituto Stress Management, no Brasil, 80% dos profissionais ativos estão insatisfeitos. E segundo o Instituto Gallup, 13% da população mundial está insatisfeita com a vida profissional que levam.

O *Coaching* de Carreira é hoje uma das melhores opções aos pais e alunos, no que diz respeito ao Plano de Desenvolvimento de Carreira (PDC). Os pais têm a responsabilidade de dar suporte a seus filhos, principalmente no que se refere aos estudos, mesmo porque eles almejam o melhor para os herdeiros.

O *Coaching* de Carreira tem o objetivo de apoiar a pessoa nas fases importantes de mudança em sua vida e, com toda certeza, a carreira profissional é uma delas. Ele tem o poder de, através de ferramentas, fazer perguntas corretas, inteligentes e criativas, despertar na pessoa descobertas que poderão mudar a direção de uma vida toda. Essa descoberta, por si só, a enche de entusiasmo, pois ela também se descobre e com isso descobre também potenciais antes desconhecidos.

O processo de *Coaching* é realizado geralmente em dez sessões e variam entre uma hora a uma hora e 30 minutos semanalmente, sendo executadas através de ferramentas personalizadas e questionamentos, que buscam, entre outras coisas, trabalhar as crenças limitantes.

É aplicado também um relatório que se refere ao Perfil Comportamental – DISC (veja quadro abaixo), de onde é extraída a área de predominância da pessoa, seus pontos fortes e suas fraquezas.

**Extrovertido**

- **Dominante**
- Resultados
- Direto
- Competitivo

**D**

- **Influente**
- Entusiasta
- Amigável
- Otimista

**I**

Orientado a tarefas

Orientado a pessoas

**C**

- **Conformidade**
- Precavido
- Preciso
- Reativo

**S**

- **Estabilidade**
- Sinceridade
- Paciência
- Modesto

**Reservado**

Todos devem passar pelo processo de *Coaching*, principalmente o adolescente. Saber o que se quer desde cedo irá transformá-lo em um empreendedor de sucesso, seja na área acadêmica, pública ou privada. Traz também a possibilidade de autoconhecimento, abrindo a visão sobre si, dando-lhe mais segurança e auxiliando na tomada de decisões, mais coerentes e assertivas, como também abre a visão para o mundo externo.

Aos pais, um dos grandes benefícios é mostrar o grau de preocupação aos filhos, participando do futuro deles, através de um apoio inteligente, em vez de forçá-los a seguir algo que não têm aptidão. Outro benefício é o ganho econômico que irão obter, quando o aluno sabe com clareza o que quer estudar, conhecendo a carreira que deverá seguir. Com isso, os pais não irão investir em algo duvidoso, afinal não existe almoço gratuito. Certamente alguém deverá pagar o preço se os resultados das decisões forem contrários às expectativas.

O aluno que passa pelo processo de *Coaching* leva uma bagagem diferenciada para a vida toda e em todas as áreas, pois aprende a questionar, a pesquisar e a buscar mais alternativas para os obstáculos do dia a dia, focando na solução, sem se lastimar em cima de problemas ou crenças negativas anteriormente vividas.

Certamente, todas as pessoas têm sonhos e almejam algo na vida. Todos sabem onde estão e aonde querem chegar, e o processo de *Coaching* atua na área intermediária: o como. Ajuda as pessoas a traçar objetivos, metas, indicadores e estratégias reais e alcançáveis que facilitarão a chegada ao objetivo final.

Em Provérbio 16:3, a Bíblia diz: "Consagra ao Senhor todas as tuas obras e os teus planos serão bem-sucedidos."

# Capítulo 19

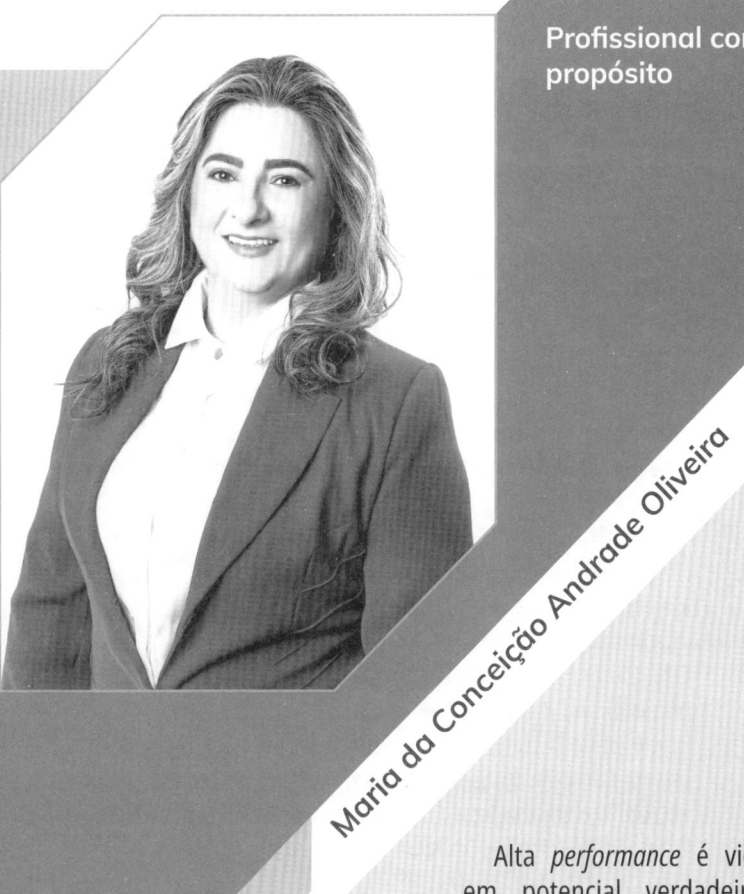

## Profissional com propósito

**Maria da Conceição Andrade Oliveira**

Alta *performance* é vida em potencial verdadeiramente produtiva e estado de equilíbrio em todas as áreas. Neste capítulo, observa-se o *mindset* do profissional de alta *performance* de crescimento, cujas habilidades são expandidas ao procurar a evolução, estudar, trabalhar estrategicamente, ser perito no que faz, especializar-se e diferenciar-se dos demais por fazer o melhor.

## Maria da Conceição Andrade Oliveira

Administradora de empresas graduada pela UNIT (2005), *Professional & self coaching* certificada em 2016 pelo Instituto Brasileiro de Coach (IBC), *business & executive coach* pelo IBC (2018), graduanda em Teologia pela Faculdade do Planalto Central (FAPLAC). CEO da Lindolar Móveis. Autora do livro *Elizeu de Oliveira, um empreendedor futurista, íntegro, solidário e arrojado*. Faz parte do MCC (Movimento de Cursilhos de Cristandade). Premiada como lojista do ano em 2004 pela CDL. Homenageada com a mais importante honraria do município de Itabaiana, Comenda Sebrão Sobrinho (2012). Homenageada como Mulher Heroína de Todos os Dias pela International Womans Club of Sergipe (2018). Homenageada com a Honraria Heley de Abreu pelo Poder Legislativo, Câmara Municipal de Itabaiana, dentre outras.

**Contatos**
www.lindolarmoveis.com.br
ceica.lindolar@hotmail.com
Instagram: ceica.lindolar
Facebook: Ceiça Andrade
(79) 99936-2000

## História conectada com propósito de vida

Família é o que nos forma, é a base de tudo que somos, nossa personalidade foi moldada a partir da criação dos nossos pais, do convívio com nossos irmãos, avós e primos. Honro e respeito a minha família, a minha história. Devemos honrar e respeitar nossos antepassados, as crenças e o jeito de ser do outro, pois não sabemos o caminho que ele percorreu. Aprender a conviver com as diferenças do outro é evolução. Os pais são sempre maiores que os filhos pela nobre razão de ser a origem, mesmo que os filhos prosperem muito mais.

A minha história tem início em uma família empreendedora, o que ajuda muito, porém não garante o sucesso. O que garante é trabalhar com amor e conquistar a alta *performance*. O meu propósito é amar, ser feliz e ajudar pessoas, se pudesse resumir diria que é fazer tudo com amor e agradecer por tudo na vida. Creio que essas palavras são como palavras mágicas, ensinadas às crianças desde cedo: por favor, com licença e obrigado.

Ao fazer algo por alguém, agradecer a oportunidade de fazer o bem, não esperar recompensa. "Ninguém nasce odiando outra pessoa pela cor de sua pele, por sua origem ou ainda pela sua religião. Para odiar as pessoas precisam aprender, e se podem aprender a odiar, elas podem ser ensinadas a amar" (Nelson Mandela). Nesse contexto, é necessário aprender a amar, ser caridoso, porque a caridade é o amor. Ser grato, pois à medida que enchemos o nosso coração de coisas boas, de pensamentos e atos bons, nosso ser inteiro responde.

Na medida em que colocamos amor nas nossas ações, como diz na Bíblia Sagrada, em Romanos 8:28: "E sabemos que todas as coisas contribuem juntamente para o bem daqueles que amam a Deus", assim compreendemos que amar é um sentimento divino e, portanto, tudo flui de bom na vida. Mesmo que algo no caminho não seja bom, é aprendizado para os próximos passos.

O fracasso cria oportunidades, pode moldar e transformar as pessoas em seres humanos melhores, para aceitarem o que não pode ser mudado e terem coragem para mudar e melhorar o que pode ser mudado. Os resultados negativos não podem causar dano moral suficiente para nos fazer estagnar. Se ainda não está bom, é porque ainda não acabou. Portanto, coloque amor e gratidão no seu caminho, pois a beleza está durante o percurso, e não somente na chegada.

A viagem é tão importante quanto o destino. O caminho também é um lugar, precisa ser percebido, notado, é necessário felicidade em todo o processo para a conquista do lugar desejado. Alegrar-se com os processos, não somente com os resultados, pois nem sempre os teremos.

Obter lucro nunca foi a meta principal da minha empresa, foi uma consequência dos nossos valores. Uma das características das empresas de sucesso hoje são os valores, especialmente os que são embasados na solução para o cliente, e não somente no lucro. Parece despropositado, contrário ao senso comum, o primeiro objetivo não ser o lucro, mas termos o desejo de servir, de ajudar, de satisfazer a necessidade do cliente e com isso obtemos sucesso.

O trabalho com amor, com afinco, dá bons frutos. José Roberto Marques, presidente do IBC Coaching, disse: "O modo mais fácil para obter aquilo que queremos é de fato ajudar os outros a obterem aquilo que querem. Este princípio aplica-se da mesma forma a indivíduos, corporações, sociedades e nações".

É a lei do sucesso: dar e receber. O que desejamos que aconteça na nossa vida, é necessário primeiro lançar ao universo. Se queremos ser uma pessoa amada, primeiro amar. Se queremos alegria, dar alegria ao outro. Se queremos ter prosperidade, cooperemos, alegremo-nos com a prosperidade do outro. "Porque há maior alegria em dar do que em receber" (AT 20:35).

Dar não é um peso, não deve ser praticado com tristeza, mas com uma grande alegria. Receber algo de alguém é uma grande bênção e nos proporciona uma grande felicidade, mas a alegria de dar, ajudar o outro, aprender a repartir é maior ainda do que a alegria de receber, a generosidade produz prosperidade. "Ao que distribui mais se lhe acrescenta" (Pv 11:24). A essência do homem é o amor.

Uma das coisas que me fizeram mais feliz e realizada foi escrever um livro. Escrever é muito bom, imagine a história do pai, da família. Brotou um significado enorme, cheio de amor e gratidão por tudo que aconteceu até aqui. Buscar fotos, fatos com família e outras pessoas foi reviver a história, lembranças da infância, emoções e principalmente deixar registrado para sempre a história de um homem que, após 31 anos de sua ida para a vida eterna, ainda é lembrado com amor e respeito por todos que o conheceram, fonte de inspiração para mim, para a família e para muitos, por conta do legado de amor, trabalho e caridade que deixou.

## A importância do autoconhecimento

Há milênios o homem já necessitava se conhecer melhor, como revela o Deus grego do sol, no Templo de Apolo, em Delfos, princípio que levaria Sócrates à famosa máxima: "Conhece-te a ti mesmo", pois o filósofo acreditava que ninguém deseja fazer o mal, é uma questão de consciência do certo.

Esse pensamento indica que o primeiro passo para o verdadeiro conhecimento é conhecermos a nós próprios. Se queremos conhecer o mundo à nossa volta, devemos em primeiro lugar conhecer quem nós somos.

Conhecer a nós próprios é um processo, uma busca que não tem fim, e a cada dia podemos aprender mais. Estou sempre nessa busca de aprendizado, de ser uma pessoa melhor hoje do que fui ontem, quanto mais estudo, mais percebo que nada sei. "Só sei que nada sei por completo. Só sei que nada sei que só eu saiba. Só sei que nada sei que eu não possa vir a saber. Só sei que nada sei que outra pessoa não saiba" (Mario Sergio Cortella).

Proponho-lhe a ser protagonista da sua própria história, o personagem mais importante de uma vida saudável, abundante, próspera e feliz. É primordial encontrar um sentido no que nos propomos a fazer e fazê-lo com responsabilidade. Um olhar sobre si mesmo, conhecer-se no mais íntimo do seu ser, sem medos, identificar crenças limitantes, ressignificar, estabelecer novos padrões para se redirecionar à conquista da felicidade.

O processo de autoconhecimento muda a forma como uma pessoa interage com o mundo e com as outras pessoas, abrindo a possibilidade para conhecer e aprender novas coisas. Não é uma crença, é uma certeza. Sempre haverá algo a ser melhorado, perceber isso faz parte desse processo de oportunidade de evolução.

Dar importância a criar bons hábitos, conectar-se com sua essência é fundamental para o encontro com o divino, com a história e com o outro. Você faz suas escolhas e suas escolhas fazem você. Escolher seus hábitos escolherá seu futuro.

### Descobrir o nosso propósito

Diz o provérbio dinamarquês: "O que você é, é um presente de Deus para você; o que você faz consigo, é um presente seu para Deus." Deus o criou para um propósito e espera que você faça o máximo com aquilo que recebeu, assim como na Parábola dos Talentos, que tem o princípio de que cada um recebe dons e oportunidades, e que, independentemente da quantidade de talentos recebida, devemos agir com responsabilidade e diligência, valorizar o que recebeu e fazer com que os talentos sejam multiplicados, não enterrados.

Não cobiçar talentos que não possuímos, mas, sim, concentrar e trabalhar para potencializar os talentos que temos é o melhor caminho. Cada um de nós deve observar, identificar, cultivar e desenvolver esses dons e talentos para transformá-los em força, em pontos fortes.

Sri Prem Baba afirmou: "Todos e cada um de nós viemos para este plano com uma missão, um propósito a ser realizado... é a expansão da consciência. E a consciência se expande através do amor. Por isso, costumo dizer que o nosso trabalho enquanto seres humanos é despertar o amor, em todos e em todos os lugares". Fomos criados em amor, para amar. As pessoas doam um tipo de fruto muito importante, o amor que se expressa através de todos nós pelos dons e talentos. Para sentir o amor, precisamos comunicar esse amor em atos, palavras e ações, validar expressando o amor através de palavras e atos que edifique e incentive.

O propósito é a razão da existência, é a força interna e a motivação para prosseguir na vida em todos os âmbitos: profissional, pessoal e espiritual. Uma pessoa desconhecedora do seu propósito de vida não conhece ainda a si mesma. Você conhece o seu propósito? Qual a sua missão aqui na Terra? Como você gostaria de ser lembrado? Quando tiver clareza internalizada nas respostas, saberá o seu propósito.

O propósito de vida não é o que acontece externamente, é o que está dentro, a energia e a consciência que existe dentro de você. A procura pelo que nos inspira, pelo que nos motiva, nos deixa mais próximos de nós mesmos e de conquistar aquilo que consideramos ser o essencial para nos tornar pessoas melhores.

### O poder da gratidão

Tessalonicenses 5:18: "Em tudo dai graças, porque é a vontade de Deus em Cristo Jesus convosco". Deus nos diz para agradecê-lo em tudo. Ainda criança, li o livro *Pollyanna*, que foi fonte de inspiração e me ensinou o Jogo do Contente, que consiste em tirar o bom e positivo de qualquer situação, mesmo que não seja tão boa. Papai também sempre nos dizia que a "tristeza deixa as pessoas feias", está registrado na página 177 do livro *Elizeu de Oliveira, um empreendedor futurista, íntegro, solidário e arrojado*.

Acredito profundamente que a pessoa que sorri fica mais bonita e agradável. A grande lição que ficou para sempre é procurar praticar um exercício de agradecer por tudo, o que gera felicidade. Com o otimismo podemos aumentar o nosso desempenho através de estabelecimento de metas elevadas, específicas e mensuráveis, fortalecer nossa confiança e capacidade de enfrentamento de medos.

Gratidão é um sentimento, quanto mais sentimos, mais essa força do sentimento impulsiona o bem e coisas boas na vida. A lei de Newton diz: "Para toda ação (força) sobre um objeto, em resposta à interação com outro, existirá uma reação (força) de mesmo valor e direção, mas com sentido oposto."

A analogia (processo cognitivo, ou seja, relativo ao processo mental de percepção da transferência de informação ou significado) entre a vida e a ciência mostra que quanto maior a intensidade das nossas ações, quanto mais fizermos boas obras, mais coisas boas virão; quanto mais ofertarmos, dermos o melhor de nós, sermos gratos(as), receberemos mais coisas boas, de acordo com as nossas ações. É a lei da semeadura criada por Deus.

As nossas decisões determinarão a colheita que teremos. O que plantar, se colhe. Assim, procuremos sempre plantar o bem, coisas boas. Nossas decisões também têm impacto na vida de outras pessoas. Palavras podem machucar mesmo que não sejam ditas com essa intenção. Como estão suas escolhas em relação a você, a sua família e ao trabalho?

Uma pessoa de alta *performance* tem a mentalidade otimista. As pessoas se tornam o que elas pensam delas mesmas, na medida em que estamos sempre nos desenvolvendo para ser melhores hoje mais que ontem, estudamos, treinamos, para estar preparados, fazer o melhor possível, encarar os desafios e ter paz interior para aceitar o resultado positivo ou não. Não precisa acelerar demais, apenas não parar de aprender, de trabalhar, de ter criatividade de estimular a mente com novos aprendizados.

Pensar sempre positivo, pois o humor pode decidir se o dia será bom ou ruim, concorda? É como um exercício, assim que vier um pensamento ruim, mudemos para um pensamento bom. Quanto melhor você se sentir, mais rápido atrairá e produzirá coisas boas. Poderia me perguntar como. Posso responder porque sempre pratico: levantar o olhar, elevar a cabeça, fazer uma oração, desabrochar um sorriso no rosto, assim a sua fisiologia muda. É incrível! Faça o teste. Assim como pensas que é, de fato é. O corpo obedece à cabeça, mas a cabeça também obedece ao corpo. Quer ser mais feliz? Comece sorrindo mais.

Para falar de alta *performance* se faz necessário falar de Deus, porque quem tem Deus é mais feliz, mais produtivo, mais próspero e agradecido. Sou muito feliz porque coloco Deus à frente de tudo, mas como Ele diz, não cruzo os braços, persevero.

Perseverar no seu objetivo, na sua conduta. A ciência prova hoje que a perseverança é mais importante que a inteligência racional (QI) e a inteligência emocional (QE). Falar, escrever sobre o objetivo, os sonhos, o foco, e sentir verdadeiramente. O tempo que demora para acontecer tem relação com o tempo que demora para sentir. Não desistir até acontecer. Dar o máximo de si, fazer o que é mais importante, não o que é urgente, pois o urgente são coisas importantes que deixamos passar.

Desejo que sua profissão escolhida tenha o objetivo de ajudar pessoas, pois para quem semeia o bem, o bem virá em dobro. Deus nos abençoe!

**Referências**
BABA, Sri Prem. *Propósito*. Editora Sextante, 2016.
Bíblia sagrada.
MARQUES, José Roberto. *Os 7 níveis da teoria do processo evolutivo*. Editora IBC, 2018.
MENDONÇA, Carlos, OLIVEIRA, Maria da Conceição Andrade. *Elizeu de Oliveira, um empreendedor futurista, íntegro, solidário e arrojado*. Editora Infographics, 2016.

## Capítulo 20

## Mindset quântico, a alimentação do futuro

*Nelson Muradian*

Neste capítulo, você descobrirá que alcançar a tão almejada vitalidade está muito mais próximo do que imagina. Convido você a expandir as fronteiras de si mesmo, começando por acessar o potencial mais essencial: a saúde longeva. A alimentação tem sido banalizada e reduzida a dietas da moda, quando na verdade é um instrumento poderoso, capaz de transformar uma vida em poucos meses.

## Nelson Muradian

Engenheiro agrônomo graduado pela Escola Superior de Agricultura Luiz de Queiroz/USP. *Life e executive coach*, certificado pela Sociedade Latino Americana de Coaching (SLAC), o maior centro de excelência em *coaching* da América Latina. Membro da International Association of Coaching (IAC), licenciado pela Professional Coaching Alliance (PCA), Association of Coaching (AC) e European Mentoring and Coaching Council (EMCC). Analista comportamental (Atools). Terapeuta quântico em moduladores vibracionais (Abrath - CRTH-BR 4595), palestrante na área de relacionamento e ética interpessoal, assim como responsável didático-pedagógico do Instituto Ad Lumen de filosofia oriental, especialista em alimentação consciente, desintoxicação e Nutrigenética. Seu diferencial é ser apaixonado por transformação humana e longevidade.

**Contatos**
www.longevidadereversa.com
http://nelsonmuradian.klickpages.com.br/apresentacao
Instagram: nelsonventolestealimentacao
Facebook: ventolestealimentacaoconsciente
contato@longevidadereversa.com
nelson.muradian@gmail.com
(19) 97411-5444

"Não somos feitos sábios pela lembrança do nosso passado, mas pela responsabilidade pelo nosso futuro."
(George Bernard Shaw)

Quem tem saúde tem tudo! Uma frase tão antiga e comum, que sua força e significado acabam se perdendo. Todo mundo diz que é obvio, pois sem saúde ninguém realiza nada. Mas por que nossas decisões, na maioria das vezes, não priorizam esse alicerce fundamental?

Poderíamos associar o conceito de saúde na vida com a alta *performance* no trabalho: quanto maior o estado de alta *performance*, maiores os resultados.

Nesse ponto me sinto obrigado a perguntar: todos que tem alta *performance* tem saúde? Com certeza não! Poderíamos, a princípio, começar refletindo sobre o *mindset*.

Todos sabem o quanto o *mindset* é fundamental quando se trata de alta *performance*, pois influencia tanto o nosso potencial físico quanto a capacidade de realizar o nosso propósito. Esse estado interior mental pode abrir caminhos ou bloquear resultados.

Naturalmente associamos estado mental com o cérebro. Até pouco tempo, falar sobre um estado de conexão entre corpo, mente e espírito era algo que ficava restrito à religião ou misticismo, mas hoje já está mais do que comprovado que se trata de ciência, além de ser crucial para qualquer um.

### Expandindo as fronteiras do *mindset*

E se eu dissesse que, na verdade, não é o cérebro o responsável pela conexão corpo, mente e espírito, mas, sim, o coração? Isso foi mostrado pelo Dr. Paul Pearsall, médico especialista em psiconeuroimunologia, experiente em transplante de coração.

Todos sabem que o antigo parâmetro de quociente de inteligência foi ampliado, ganhando dois irmãos: os quocientes emocional e espiritual. Até aí não há novidade, porém, se continuarmos a acreditar que o centro dessa tríade é a mente, seria como se não tivéssemos avançado, parando no QI.

A partir dessa nova visão, nos é permitido avançar para o conceito de *mindset* quântico.

Muito mais inovador do que saber que todo e qualquer movimento começa no nível sutil é poder afirmar que ele é mais rápido e poderoso do que o nível visível e material. Apenas para ilustrar, saiba que a velocidade de ação de uma substância química é de 1 cm/seg. enquanto a velocidade de uma onda, o nível da frequência, é de 300.000 km/seg. Qual você prefere?

Tudo que existe nesse universo (carro, maçã, ser humano) tem um padrão de frequência, medido em Hertz, e se relaciona a uma vibração (propagação de onda). Quando essa frequência está alterada, inicia-se uma desestruturação – no caso de um órgão, ele perde a sua função.

Essa é a origem das doenças! Por esse motivo, é necessário que a frequência seja corrigida rapidamente, caso contrário, nem mesmo medicamentos e nutrientes conseguirão fazer um efeito satisfatório.

Podemos considerar a frequência como sendo o nosso software interior, ou seja, um programa que guia todo o nosso metabolismo. Quando ele é corrompido, toda a matéria deixa de funcionar.

"A biofísica (ressonância) é o sistema primário e a bioquímica é o sistema secundário do corpo humano, portanto, se a biofísica não estiver funcionando, a bioquímica não funcionará!" (Dr. Bert Sackman e Erwin Neher, Prêmio Nobel de Medicina, 1991).

A frequência esclarece, por exemplo, o mistério da biodisponibilidade real dos nutrientes, nos casos em que mesmo suplementando, a pessoa não consegue êxito e continua com sintomas de deficiência. Há nutriente, mas ele não é reconhecido pelo seu corpo, não havendo assimilação.

Dessa forma, para viver em alta *performance* se faz necessário que o *mindset* esteja no nível quântico, caso se mantenha apenas no nível mental, limitaremos nossos potenciais cognitivos, criativos, os *insights* para as grandes ideias, que nos destacariam no mercado e na vida.

Se você já se considera uma pessoa de equilíbrio e altos resultados, imagine como será ao atingir esse nível quântico!

### Alimentação do futuro; nutrindo com excelência

Como todos sabem, existem pelo menos três pilares fundamentais da saúde:

- Alimentação,
- Atividade física,
- Sono.

Se pensarmos a respeito da atividade física, facilmente entendemos que é necessário um mínimo de energia e nutrientes para que possamos ser capazes de praticar alguma atividade. Se falarmos sobre o sono, uma das funções principais é o processo de regeneração celular e recuperação do organismo, porém esses processos também precisam de energia e nutrientes. Caso contrário, teremos reduzido drasticamente os benefícios provenientes desses dois pilares. Isso nos leva à conclusão de que, dentre eles, a alimentação é o início de tudo.

Alimentação deve ser entendida como um processo de ingestão, ou seja, tudo aquilo que entra em nosso ser. Além dos nutrientes, temos também medicamentos, chás, temperos, tudo que vemos, ouvimos, tocamos, enfim, todo e qualquer tipo de informação que venha do meio externo, de objetos animados ou inanimados: a vida é repleta de informações.

Dessa forma, podemos compreender o conceito de nutrição a partir de cinco níveis complementares que são:

1. Fisiológico (nutrientes);
2. Energético (do alimento ou do meio);
3. Estado interior (pensamentos e sentimentos);
4. Informação (frequência e memória celular);
5. Espiritual.

O conceito tradicional de *mindset* chega apenas ao nível 3 dessa escala, enquanto *mindset* quântico engloba todos os níveis; por isso é muito mais poderoso.

Voltando ao Dr. Paul Pearsall, ele mostra a existência de memória celular. Foi percebido e provado, a partir de inúmeros relatos de pacientes transplantados, que passavam a citar sonhos e memórias relativos à vida do doador, sem nem mesmo terem se conhecido. Eles não receberam apenas o coração, mas informações que as células desse órgão carregam, comprovando mais uma vez que memória não é algo relativo apenas ao cérebro.

Anteriormente, citei o nível espiritual de nutrição, o que não se restringe ao contexto religioso, mas, sim, à essência humana. Essa essência pode ser explicada como sendo o nível das nossas intenções. Não se trata de intenção, no sentido de uma vontade ou algo que desejo fazer. Há um padrão de tendências internas, como uma grande direção inconsciente, que nos move criando pensamentos e sentimentos e, consequentemente, nossas decisões e atitudes.

A intenção está em um nível sem forma, mas que comanda todo nosso ser, desde a saúde até a vida.

## O nível quântico e o centro da vitalidade

Trabalhos científicos atuais vêm provando que a inflamação crônica é a causa de praticamente todas as doenças crônico-degenerativas, inclusive a causa do próprio envelhecimento.

Esse grande processo começa pela inflamação do intestino, nos levando facilmente à conclusão de que a alimentação e a digestão são processos que devem receber uma atenção especial. Devemos lembrar que a alimentação envolve cinco níveis e não apenas pensar em nutrientes ou em quais alimentos nos fazem bem.

Nesse sentido, alimentação é muito mais do que pensar em dieta, é um caminho de tomada de consciência. Esse é o ponto de partida para o nível quântico!

Já dissemos que o coração, de certa forma, tomou o lugar do cérebro, exercendo a função de conexão; agora descobrimos um segundo elemento, o intestino, como o estopim da doença ou da saúde.

O coração e o intestino são a sede da alta *performance*!

Em outras palavras, estamos falando sobre aquilo que nos leva de fato a ter vitalidade. Não estamos falando em usar energéticos, que proporcionam um aumento de energia artificial e temporária. A falsa vitalidade permite uma alta produtividade limitada, capaz de realizar muitas coisas em um espaço curto de tempo, mas depois leva a envelhecimento precoce, degeneração, desestrutura familiar e social.

Se puder comparar uma pilha, cuja energia acaba rapidamente, com uma planta que pode produzir energia a partir do sol continuamente, perceberá que há uma grande diferença. Estamos falando exatamente desse segredo: usar uma fonte de energia ilimitada, uma fonte verdadeira, para alimentar o *mindset* quântico.

Essa fonte verdadeira em seu interior está muito além da mente e do cérebro. Estamos falando de produtividade com continuidade e não de um pico no curto prazo que precede uma queda. Não é trabalhar 16 horas por dia durante 12 meses. Que tal trabalhar de forma constante por 20 anos beneficiando muitas pessoas, com muita satisfação, ao invés de ficar em evidência por algum tempo e desaparecer?

Ser capaz de despertar uma energia que vai potencializar seus dons, de forma constante, e que permita realizar o seu propósito. É disso que estou falando!

São inúmeros os casos de pessoas de sucesso que tiveram realizações memoráveis, um patrimônio na lista dos maiores do mundo, mas terminaram a vida com uma doença grave e praticamente sem nenhum relacionamento significativo. Essas pessoas usaram como fonte a própria vida, roubando energia de sua saúde e das suas relações, trocando vitalidade por resultados de negócios ou financeiros.

Será que vale a pena? E por que não ter ambos?

A saúde plena e resultados incríveis...

## Alimentação quântica: vitalidade a seu alcance

É nesse contexto que eu concluo e apresento a alimentação quântica: um conjunto de orientações e premissas que garante suprir o ser humano de informações equilibrantes, em todos os níveis, permitindo atingir a alta vitalidade.

Qual o segredo? Corrigir o nível da frequência do organismo!

Ufa! Tivemos um grande avanço em tão pouco tempo e garanto que esse é só o começo.

Encontre o seu lugar, o seu porquê e a sua força.

Desperte o seu *mindset* quântico, use o máximo da sua vitalidade em todos os níveis da nutrição.

Seja alguém que pode contribuir com o mundo, a partir daquilo que ninguém mais pode, e todas as portas vão se abrir para que você realize mais!

**Referências**

BLACKBURN, Elizabeth. *O segredo está nos telômeros: receita revolucionária para manter a juventude e viver mais e melhor*. Editora Planeta, 2017.

PEARSALL, Paul. *Memória das células: estabelecendo contato com a sabedoria e o poder da energia do coração*. Editora Mercuryo, 1999.

PÓVOA, Helion. *O cérebro desconhecido: como o sistema digestivo afeta nossas emoções, regula nossa imunidade e funciona como um órgão inteligente*. Editora Objetiva, 2002.

## Capítulo 21

### Como tornar-se um profissional de alta performance e atingir resultados extraordinários

**Paul André Viana Bahamondes**

Neste capítulo, você encontrará estratégias que vão ajudá-lo a se transformar em um profissional de alta *performance*, obter destaque na carreira e ser cobiçado pelo mercado. Alta *performance* é fazer o dobro na metade do tempo, é buscar sua melhor versão e converter em resultado tudo isso com equilíbrio e qualidade de vida.

## Paul André Viana Bahamondes

Estrategista de carreira, mentor, palestrante, escritor e *master coach*. Com mais de 12 anos de experiência em gestão de pessoas, iniciou sua carreira como estagiário, chegando a cargos executivos em grandes multinacionais. Certificado pela Sociedade Latino-Americana de Coaching, licenciado pela Professional Coaching Alliance, Association of Coaching e European Mentoring and Coaching Council. Especialista em Inteligência Emocional e idealizador do método "Alavanque Sua Carreira".

**Contatos**
www.paulbahamondes.com.br
www.alavanquesuacarreira.com.br
coach@paulbahamondes.com.br
Instagram: @paulbahamondescoach | @alavanquesuacarreira
Facebook: @paulbahamondesoficial
Facebook: @alavanquesuacarreira
(11) 99341-8761

Paul André Viana Bahamondes

> "O sucesso não é perseguido, ele é atraído pela pessoa que você se tornou."
> Jim Rohn

Muitas pessoas acreditam que alta *performance* é trabalhar longas horas para entregar mais do que foi pedido. Acreditam que o foco está somente em âmbito profissional e que a única coisa que importa é crescer na carreira.

Viver em alta *performance* é muito mais do que entregar resultados no trabalho ou buscar a produtividade. É atingir um equilíbrio, é ter mais tempo para você e sua família, é poder criar com a certeza de que está em equilíbrio com todas as áreas da sua vida.

## Buscando a alta performance

Desde que iniciei a minha trajetória profissional tive que buscar alternativas de me destacar dentro e fora da empresa, porém, por diversas vezes, me vi perdido por centralizar o foco somente na carreira.

Percebi em dado momento que a busca pela alta *performance* era inútil, ela não pode ser encontrada. Entendi que somente o autoconhecimento faz com que você identifique seus pontos fortes e a partir destes pontos, focar em atingir a maestria no que você é bom, para só então transformar todo esse conhecimento em um estilo de vida.

Buscar o autoconhecimento não é uma tarefa simples, ter que se deparar com seus principais medos, receios e vulnerabilidades é uma das coisas mais difíceis que existem. Porém, somente através deste caminho é possível entender o que nos bloqueia para atingir o próximo nível, e quando é feito os resultados são surpreendentes.

É exatamente assim que eu tenho por conceito a alta *performance*, é poder aplicar todo o seu potencial em áreas específicas produzindo o dobro na metade do tempo. Nas próximas páginas você irá encontrar um guia que te levará a produzir mais, ter mais qualidade de vida e potencializar seus resultados.

### Amplie seu autoconhecimento conhecendo seu perfil comportamental

O primeiro passo a ser dado nesta jornada é ampliar seu autoconhecimento através de uma análise do seu perfil comportamental, existem ótimas ferramentas no mercado que vão te trazer informações importantes para o seu desenvolvimento.

Independente da ferramenta que você vai utilizar é altamente necessário que ela mostre sua visão de mundo, a forma como você o percebe, seus motivadores, seus hábitos e principalmente o seu estilo.

Foi somente quando parti em busca de autoconhecimento que entendi o que então era essa tal de alta *performance*, neste processo conhecer meu perfil comportamental era fundamental para que eu não dedicasse tempo demais desenvolvendo o que não era inato.

Portanto, meu foco sempre foi em buscar a excelência em habilidades que se destacavam e as que não se destacavam era em manter elas sobre vigilância e fazer com que elas não se tornassem ameaças.

Com isso entendi que comunicação e trabalho em equipe são fundamentais para a alta *performance*, são elas que farão você se comunicar de forma adequada e principalmente reconhecer na equipe pessoas com perfis complementares aos meus.

Sempre busque apoio de um profissional qualificado para te ajudar na aplicação e entendimento da ferramenta.

### Desenvolva suas habilidades emocionais

Diversas pesquisas têm aparecido no mundo sobre o tema Inteligência Emocional, todas elas são unânimes em dizer que é o preditivo mais forte de *performance*, sendo a razão do sucesso em todos os tipos de trabalho.

Algumas delas constataram que 90% das pessoas com alta *performance* contam com um alto nível de inteligência emocional.

Pessoas que possuem um grau elevado nesta habilidade também ganham mais dinheiro, uma média de 30% mais do que pessoas com esta competência pouco desenvolvida. Os pesquisadores afirmam que esses resultados se aplicam a qualquer empresa e a todos os níveis de trabalho independente da região do mundo em que elas atuam.

Esta habilidade é crucial e essencial para atingir a alta *performance* e se você busca se manter no mercado de trabalho no século XXI, a melhor forma é desenvolvê-la, e o melhor de tudo é que esta habilidade pode ser desenvolvida.

Uma das ferramentas mais eficazes para desenvolver a inteligência emocional é a teoria da Ph. D. Susan David, psicóloga na Faculdade de Medicina de Harvard, codiretora do Institute of Coaching no Hospital McLean e CEO da Evidence Bases Psychology, o conceito trata-se de tomar medidas que estão na direção dos nossos valores.

Passamos a vida acreditando que são os pensamentos que conduzem as nossas emoções, porém, hoje sabemos que são as emoções que apoiam nossos pensamentos e todas as decisões que tomamos são emocionais, utilizamos a razão para justificar uma decisão emocional.

Mas Paul o que isso tem a ver com alta *performance*? A resposta é: TUDO. Sem equilíbrio emocional é impossível manter o foco no que precisa ser feito, quando isso acontece nossa mente fica "presa" em um pensamento e nos tira do caminho que nos leva ao resultado.

Desenvolver esta competência através da agilidade emocional fará com que você tenha uma ideia clara de quem quer ser no mundo e do que é importante para você, te protege do contágio social e faz com que você aumente sua velocidade de entrega. Isso é Alta *Performance*!

Ter desenvolvido esta habilidade me ajudou a lidar com a pressão do dia a dia, entender que descanso e equilíbrio são fundamentais para que você possa ter clareza de tudo o que precisa fazer e focar somente no que é importante.

### Saiba diferenciar esforço e resultado

Parece simples mais muitas pessoas não sabem diferenciar esforço e resultado. Muitos acreditam que serão reconhecidos por todo o esforço dedicado no projeto, porém, tenho uma notícia não muito boa para te dar: no mundo corporativo de nada vale esforço sem resultado.

Durante toda minha trajetória profissional, acompanhei diversos profissionais que tinham demandas além do que era possível entregar, se esforçavam ao máximo para entregar tudo o que foi pedido e no final não eram reconhecidos e nem recompensados por todo o esforço, uma vez que o que vale no final é o resultado que você entrega.

Um profissional de alta *performance* sabe exatamente onde ele deve focar, e se qualquer atividade demandada não vai contribuir em nada para o resultado, então ela não deve ser executada.

Uma técnica simples que sempre indico é a utilização da *Drop List* que na tradução significa lista suspensa, mas na verdade é você definir uma lista de tudo que você deve PARAR de fazer.

Primeiro, o mais importante. Saber priorizar é uma arte e você deve desenvolver um método que te auxilie nesta definição e aplicar no seu dia a dia.

### Foque na execução e não no planejamento

Este é um tema um pouco polêmico de abordar, pois, o planejamento é e sempre será fundamental para todo profissional de alta *performance*. O problema é que muitos profissionais perdem muito tempo no planejamento e quando parte para a execução já é tarde demais.

E não é só isso, um bom planejamento envolve análise riscos e na maioria das vezes, colocamos tantos riscos nestas análises que acabamos inviabilizando projetos importantes.

Minha dica é: faça um planejamento e crie um *ranking* em percentual das chances daquele risco acontecer. Todo projeto envolve riscos, mas um profissional de alta *performance* deve saber quais riscos considerar, fazer um plano de mitigação e partir para a execução.

Gosto muito da frase do poeta francês Jean Cocteau: "Ele não sabia que era impossível, foi lá e fez", ela é importante porque mostra o quanto é fundamental partir para a execução isento de julgamentos e comparações.

A comparação faz você muitas vezes deixar de executar porque em algum momento houve falhas, mas elas só irão existir se o mesmo contexto, ambiente e variáveis forem os mesmos. Quando você muda o contexto, as chances de você ter resultado podem aumentar consideravelmente, portanto, busque executar mais do que planejar, erre rápido e corrija mais rápido ainda, isso fará com que você atinja resultados diferenciados e se destaque como um profissional de alta *performance*.

Um profissional de alta *performance* sabe alavancar a carreira e obter mais resultados na sua vida com equilíbrio, sabendo administrar a pressão do dia a dia e fazendo com que as pessoas ao seu redor também desenvolvam este estilo de vida.

Para chegar lá será necessário investir muito, mas garanto a você que todo esse investimento vale a pena, pois, você terá mais tempo para você e sua família, poderá desenvolver projetos pessoais e viver o seu propósito.

Deixo aqui uma frase que costumo usar em todos os meus processos de mentoria: "Nenhum sucesso na carreira justifica uma falha na vida pessoal".

Que você possa encontrar sua alta *performance*, viver o seu propósito com muita energia, equilíbrio e qualidade de vida.

Desejo muito sucesso para você.

**Referências**
COVEY, Stephen R. *Os 7 hábitos das pessoas altamente eficazes*, Mini ed. Editora Best Seller, 2009.
DAVID, Ph.D. Susan, *Agilidade emocional: abra sua mente, aceite as mudanças e prospere no trabalho e na vida*. Editora Cultrix, 2018.
DUHIGG, Charles, *Mais rápido e melhor: os segredos da produtividade na vida e nos negócios*. Editora Objetiva, 2016.

# Capítulo 22

## Por que passamos tanto tempo humanizando robôs e robotizando humanos?

Rafaela C. Moutte de Oliveira

Neste capítulo, você encontra algumas reflexões que ajudam a fazer uma autoanálise para lidar com sua escolha profissional e entender como é sua relação atual com o seu trabalho.

## Rafaela C. Moutte de Oliveira

Psicóloga, pós-graduada pela PUC como especialista clínica, com foco em Psicanálise e Linguagem. Consultora em Gestão de Pessoas por mais de seis anos, atuando como mentora de carreira com base em metodologias aplicadas à Psicologia Positiva, ajudando profissionais que querem empreender; que estão no mundo corporativo e desejam desenvolver sua liderança; que estão iniciando no mercado de trabalho ou estão passando por um momento de transição de carreira. Especialista em desenvolvimento e aplicação de diagnósticos organizacionais, com o objetivo de identificar aspectos que potencializem resultados e alta *performance* por meio do alinhamento cultural, competências e liderança, de acordo com a demanda e cocriação de cada projeto. Atuação na criação e aplicação de conteúdos contemporâneos com foco em Gestão de Pessoas a partir de fontes legitimadas e técnicas criativas de aprendizado, tanto para treinamentos presenciais como para plataformas digitais com base no *Cooperative Learning*.

**Contatos**
www.rafaelamoutte.com.br
rafaela@8orienta.com.br
Instagram: @rafamoutte
Instagram profissional: @nossos.projetos
LinkedIn: Rafaela Moutte
(11) 98555-1889

## Rafaela C. Moutte de Oliveira

> "Não conheço nenhum fato mais encorajador que a inquestionável capacidade humana de engrandecer a própria vida através do esforço consciente."
> (Henry David Thoreau)

Quero começar este capítulo com uma pergunta que acredito que todo ser humano já deve ter se questionado: será que escolhi a profissão certa e estou feliz fazendo o que faço hoje?

Quando escolhemos a primeira faculdade e/ou caminho profissional a ser seguido, temos alguns fatores em jogo que podem dificultar essa escolha, o primeiro vem do sistema educacional a que fomos submetidos, que sempre nos direcionou a focar naquilo em que não éramos bons. No meu caso, lembro de chegar feliz da vida em casa porque tinha ido bem na prova de história, filosofia, artes e, é claro, na querida disciplina de educação física. Embora meus pais ficassem felizes com essas conquistas, eles rapidamente direcionavam o foco para as matérias em que eu tinha maior dificuldade, na época: física, matemática e química, esta era a pior de todas. Além disso, o foco desse sistema muitas vezes apontou alguns direcionamentos vocacionais vistos como caminhos mais certeiros de sucesso, como, por exemplo, a escolha pela Medicina, Engenharia ou Direito.

Outro fator que dificulta essa escolha no início de nossas jornadas profissionais vem da baixa maturidade e nível de autoconhecimento. A Psicologia foi a minha primeira escolha, ela foi feita de forma intuitiva e por eliminação daquilo que eu não gostava. Mesmo dentro da Psicologia ou de qualquer outra profissão, você precisa estar aberto para descobrir o que mais lhe brilha os olhos e gera realização. Embora num primeiro momento eu tenha me interessado pela Psicanálise, feito uma especialização nessa área, o trabalho e a prática me direcionaram à Psicologia Positiva, a partir dela eu descobri que poderia ir muito além daquilo que o contexto apontava como inteligência e sucesso.

## Profissional de alta performance

A Psicologia Positiva nasce como uma possibilidade de trabalhar o desenvolvimento dos nossos talentos e múltiplas inteligências, e essa possibilidade é o que amplia a consciência do potencial que existe em cada um de nós. Hoje, o curso de Psicologia Positiva é um dos mais procurados em Harvard por executivos do mundo todo, e um dos profissionais que trabalhou nesse projeto é também o autor do livro O jeito Harvard de ser feliz, nesse livro Shawn Achor reforça a premissa básica da Psicologia Positiva, que diz: "Você não precisa ter sucesso para ser feliz, mas precisa ser feliz para ter sucesso". Esse conceito é reforçado por pesquisas realizadas em Harvard que mostram que apenas 25% do sucesso profissional é previsto por QI, enquanto 75% desse sucesso vem do otimismo, suporte social e da nossa capacidade de enxergar o estresse como desafio e não ameaça. Portanto, a Psicologia Positiva aposta para a singularidade do humano, desmistificando esse modelo obsoleto de QI, que na maioria das vezes nos robotizou e enquadrou em seus padrões. A Psicologia Positiva direciona o nosso olhar para o desenvolvimento de múltiplas inteligências, associadas ao talento e personalidade. Esse, sem dúvida, é o caminho mais sustentável para a alta *performance* dentro ou fora do mundo corporativo.

Atuando como consultora na área de Gestão de Pessoas há seis anos, me deparei com cenários desafiadores de realização e engajamento. Embora tenha escolhido trabalhar com o lado positivo da Psicologia para desenvolver e potencializar talentos, os cenários de muitas organizações e segmentos diferentes comprovam o que as pesquisas apontam. De acordo com o ISMA (International Stress Management Association) Brasil, 75% dos profissionais não se sentem realizados. De onde vem essa falta de realização? Será que o mundo corporativo ainda está se referenciando no modelo antigo de educação?

Atualmente um dos temas mais requisitados dentro das empresas é a diversidade a partir de times de alta *performance*. Esse desejo é consciente, mas o "como" ainda não acontece da melhor forma. Recentemente, tive a oportunidade de trabalhar com advogados da área jurídica de uma grande empresa brasileira. Ao realizar o diagnóstico da área e mapear os principais talentos de cada integrante, foi possível perceber que a grande maioria tinha o mesmo perfil. Dentro da área jurídica, é comum a contratação de perfis com alta conformidade a regras e certa estabilidade e ponderação. Porém, embora existam características que deem mais *meet* de acordo com determinadas áreas, a diversidade no estilo de pensar e agir é o que garante o desempenho mais sustentável a longo prazo. Nesse trabalho, foi possível identificar que uma das advogadas tinha um perfil de menor conformidade e maior influência em relação aos outros, ela era o contraponto desse time e poderia trazer mais leveza dentro de um ambiente mais formal. Ela também poderia usar com mais facilidade a sua habilidade interpessoal e ampliar o *networking* e *marketing* da área, provocando o time como um todo. Portanto, o conceito "a pessoa certa, no lugar certo" não depende de um único fator, ela depende do quanto você reconhece as suas fortalezas, do quanto se identifica com a cultura da empresa e do quanto a sua liderança sabe usar aquilo que você tem de melhor.

Agora que já falamos sobre a importância em não robotizar, enquadrar e rotular cargos e áreas, como é possível conquistar metas e objetivos com aquilo que temos de melhor em nosso perfil a partir da consciência desses talentos? Qual é a melhor forma de olhar para os nossos *gaps*?

1. Questione-se: será que eu uso os meus talentos em meu trabalho? Se sim, explore cada vez mais o seu potencial e propósito. Se não, recalcule, reinvente o caminho e faça essa travessia, de forma consciente e coerente com o que você acredita como ideal de vida;
2. Cuide da sua "sombra", procurando alianças estratégicas em seu trabalho que complementem você. Não tente ser bom em tudo para não cair na cilada da comparação, lembre-se: menos, é mais! Tudo o que você foca, se desenvolve. Foque na sua luz e vitalize suas sombras com novas parcerias, isso proporciona mais segurança psicológica;
3. Procure mentores, não só mais experientes, mas jovens também, que conheçam coisas que você ainda está descobrindo. Amplie a sua visão e tenha humildade intelectual para aprender de todos os lados;
4. Seja autogerenciável em todas as esferas da sua vida. Uma pesquisa recente feita pela consultoria Deloitte mostrou que 59% dos entrevistados classificaram suas organizações como não eficazes ou pouco eficazes em capacitar pessoas para administrar suas próprias carreiras. A partir do momento que você traça suas metas, investe em seu autodesenvolvimento e começa a fazer

escolhas mais próprias, o fortalecimento da sua carreira depende de você e não do ambiente externo que, na maioria das vezes, não se pode controlar.

A partir desses *insights*, o que você entende que é possível evoluir para conquistar um futuro com mais propósito e realização?

Chegamos aqui ao ponto final deste capítulo e ao nosso dilema moral atual: O que não será humanizado por robôs nesta era pós digital? A pesquisa *"The Future of Employment"* realizada em 2013 pela University of Oxford aponta que 47% das profissões têm uma chance de 70% de serem automatizadas nos próximos 20 anos. Portanto, quais são as competências que competem a nós, humanos, e nos deixam a anos luz dos robôs?

Em 1975, Howard Gardner criou a Teoria das Múltiplas Inteligências, naquela época foi o primeiro passo para descentralizar a ideia de QI. Em sua teoria inicial, havia sete inteligências, classificadas como: Lógico e Matemática, Espacial, Linguística Verbal, Corporal e Cinestésica, Musical, Interpessoal e Intrapessoal. Um tempo depois, vieram mais duas inteligências, a Naturalista e a Existencial. Pensando nessas inteligências, os futuristas entendem que tudo aquilo que é lógico e muito previsível já está sendo substituído por máquinas e robôs de uma forma muito mais eficaz. Nesse caminho, para deixar de "robotizar" as relações, é preciso desenvolver, cada vez mais, as inteligências intrapessoais e interpessoais.

No fim das contas, podemos chegar à conclusão de que as competências de qualquer profissional do futuro são, na verdade, conhecimentos milenares. A Singularity aponta também que as três competências fundamentais previstas para os próximos anos serão, basicamente: Coragem, Criatividade e Empatia. Para desenvolvê-las, eu daria três dicas principais:

Para potencializar a sua coragem: nunca deixe de ser curioso, procure sempre novas formas de aprender, se renovar e se desenvolver para aumentar a sua potência de ação. Escolha caminhos com os quais mais se identifica, como: meditação, atividade física, processos de autoconhecimento e desenvolvimento, *coaching*, mentoria, terapia, entre outros.

Para potencializar a sua criatividade: aceite os seus erros, aprenda com eles. Criatividade envolve novos caminhos, erros, acertos, novas combinações, resolução de problemas, ideias e ação. Pense em novas formas de ajudar, a criatividade começa por aí.

Para potencializar a sua empatia: desenvolva suas inteligências interpessoais e intrapessoais para diminuir o julgamento diante do outro. Um exercício poderoso para ampliar o seu poder de empatia começa na mudança em sua forma de se comunicar com o outro, ao invés de falar sobre você, comece a fazer mais perguntas abertas e com interesse genuíno pelo seu interlocutor. Quando alguém disser a você que tem um filho, não responda automaticamente "eu também", pergunte sobre ele ou ela. Quando alguém disser que trabalha em um lugar X, não responda "eu trabalho em Y", pergunte sobre o trabalho do próximo e desenvolva, cada vez mais, a sua capacidade de entrevistar. A empatia é a nossa principal habilidade humana.

E, para encerrar, retomo à pergunta inicial deste capítulo: será que escolhi a profissão certa e estou feliz fazendo o que faço hoje?

Hoje, quando realizo projetos em escolas e entrevisto essa nova geração, essas pessoas não respondem apenas que querem se formar em Medicina, Engenharia, Artes, Filosofia, Psicologia e por aí vai, algumas respondem: "A minha profissão ainda não existe". Para reforçar essa ideia e direcionar o nosso olhar não só para as profissões que ficaram e/ou ficarão obsoletas, mas, sim, para o que ainda não existe e podemos criar usando nossas habilidades humanas, termino este capítulo com a previsão de Salim Ismail, ex-diretor da Singularity. Para ele, dentro de alguns anos, só haverá uma única descrição de cargos: "Solucionador de problemas criativo e adaptável."

A minha primeira escolha foi a Psicologia, hoje o meu propósito enquanto profissional é descobrir o que está além da Psicologia e da Consultoria em Gestão de Pessoas. O meu último lembrete é para chamar sua atenção para a criatividade, coragem e empatia, características inerentes a nós, seres humanos, afinal de contas, o que você faz com elas hoje será determinante para cocriar esse futuro que, *by the way*, já está aí!

**Referências**
ACHOR, Shawn. *O jeito Harvard de ser feliz*. Editora Saraiva, ed. 2012.
*Resumo do Singularity University Global Summit 2017 em São Francisco*, CA/US. Disponível em: <https://collbusinessnews.com.br/resumo-do-singularity-university--global-summit-2017-em-sao-francisco-caus/>. Acesso em: 20 de out. de 2019.
GARDNER, Howard. *Inteligências múltiplas, a teoria na prática*. Editora Artmed, ed. 1995.
FREY, Carl Benedikt e OSBORNE, Michael. *The future of employment*. University of Oxford. 2017.
*The rise of the social enterprise.* Deloitte Global Human Capital Trends. 2018.
Pesquisa ISMA Brasil. Disponível: <http://www.ismabrasil.com.br>.

## Capítulo 23

### Tecnologia como aliada para o sucesso

*Renato Marcon Bognar*

Muitas empresas e pessoas gastam muito tempo, energia e dinheiro para adotar uma tecnologia base quando um novo projeto nasce. Neste capítulo, você vai entender como utilizar a tecnologia como sua aliada para atingir seus objetivos pessoais, profissionais e empresariais. Apresentaremos estratégias para que você possa tomar decisões mais assertivas de forma mais simples sem temer os resultados.

## Renato Marcon Bognar

Experiente engenheiro de sistemas, iniciou sua carreira em tecnologia aos 14 anos, atuando nas maiores empresas do Brasil, trabalhou provendo soluções de alto valor agregado, sempre atuando no âmbito consultivo e de resolução de problemas estratégicos. Evangelista e especialista tecnológico, também atua como palestrante futurista-tecnológico. É apaixonado por tecnologia e pelas possibilidades de futuro que ela promove para a humanidade. Fascinado pelo tempo em que vivemos e por ter a oportunidade de compartilhar este momento incrível da história com as mentes mais brilhantes da humanidade, que nos guiam para uma era de abundância e prosperidade. Define-se como um ser humano com "alma digital".

**Contatos**
https://lyo.solutions
renato.bognar@lyo.com.br
LinkedIn: Renato Bognar
Twitter: @RenatoBognar
(11) 99920-2013

## Renato Marcon Bognar

> "Devemos trabalhar para deixar nossos produtos obsoletos antes que o mercado o faça."
> (Bill Gates)

Hoje em dia, para que você seja um profissional completo ou para abrir uma empresa de sucesso, você precisaria se formar em Administração, Direito, Economia, Contabilidade, Psicologia com ênfase ou Pós em RH, Pedagogia, Fisioterapia com Pós em Ambientes Laborais e, é claro, Ciências da Computação. Pelo menos é o que alguns clientes me relatam, mas sendo bem sincero, eu também já me senti assim.

Mas essa pode não ser uma realidade tão distante e, talvez, até seja corriqueira. Perceba agora o seguinte:

Com a *internet* ao alcance dos dedos, hoje temos a legião dos especialistas formados em 10 minutos por pesquisa no Google. São economistas, cientistas políticos, advogados e até médicos armados com seus *"smart rifles"*, que ao primeiro indício de contato com um termo que não estão familiarizados sacam suas armas e sem dó nem piedade iniciam uma busca quase que doentia por qualquer fragmento de informação, mesmo que oligofrênica, sobre o tópico do fórum em questão, e por mais rasa que seja a informação ou mesmo que se apresente uma migalha de um esboço de um fragmento de ideia sobre o assunto, mesmo que muitas vezes inclusive vinda de fontes que usam avisos para ressaltar que os dados ali contidos são de acesso e edição sem controle ou checagem, ainda assim usam essa munição como bala de prata para a sua ignorância, e como se estivessem no filme *Matrix*, acham que "fizeram" *download* de toda a experiência contida no universo para dentro de suas mentes sedentas por ter razão e ganhar discussões a qualquer custo. Passam a alvejar, então, todo e qualquer pobre coitado que tenha dedicado seja lá quanto tempo da sua vida para desenvolver habilidade sobre tal assunto, tornando-se assim um especialista pós-graduado com MBA em buscadores orgânicos de certezas instantâneas.

Caótico não?

Propositalmente, coloquei essas duas provocações para que você possa ter a oportunidade de fazer o que todo profissional de sucesso faz: autocrítica.

Na primeira, eu quis indicar o quão somos compelidos a ter todas a informações no momento zero, quase como se fosse um pecado mortal não saber de um assunto ou tema.

No segundo, como esse comportamento leva a uma corrida desenfreada por informações rasas para tomada de decisões que têm um péssimo resultado de médio e longo prazo.

Agora imagine que você precisa tomar uma decisão sobre qual tecnologia deve adotar para um trabalho específico e se depara com a seguinte situação:

Preciso de um sistema de gestão para a minha empresa, pois hoje faço tudo em planilhas e quero crescer, mas assim será impossível.

Você consulta um amigo que é um administrador ou executivo de uma empresa multinacional e esse seu amigo sugere que você busque por um *software* de gestão ou um ERP.

Em sua busca na *internet*, você encontra uma informação dizendo que o *software* de gestão precisa estar homologado na secretaria da fazenda estadual para que você corra menos risco.

Você faz uma busca e descobre que existem mais de mil *softwares* que têm essas características. Por um lado, fica feliz, pois 400 desses já foram eliminados com um critério muito importante. Mas aí vem a segunda questão: qual dos 600 restantes vai resolver o problema?

Você inicia uma pesquisa e percebe que desses 600, nenhum dos que você pesquisou faz tudo o que você precisa em um único lugar e que você precisará de uma customização.

Aí você pede uma ajuda para um amigo de TI, que ouve você e recomenda: "Se precisa de algo específico, contrate um programador e desenvolva algo personalizado". Agora suas opções são 601. E cada vez o caminho apresenta mais ramificações. E agora o que você faz, uma vez que não tem verba para contratar uma empresa de auditoria, que com certeza vai sugerir os top 10 do mercado, que são ótimos, mas têm o custo nas alturas, e você não vai gastar esse dinheiro.

Meu objetivo aqui é mostrar algumas estratégias para que você possa simplificar o processo de adoção tecnológica para você ou para sua empresa.

Uma pesquisa feita pelo The Standish Group International, com mais de 10.000 projetos ao longo de anos, mostra que apenas 16,2% dos projetos que envolvem tecnologia são bem-sucedidos, ou seja, foram executados e entregues conforme orçado e planejado. Aí você se pergunta: e o que aconteceu com os outros 83,8%?

Bem, esses estão divididos entre projetos que acabaram sendo entregues acima do orçamento, fora no prazo, não concluídos, e projetos nos quais nada foi entregue.

Se você acompanha os noticiários, com certeza você conhece histórias de projetos onde isso aconteceu e talvez até tenha participado de um projeto assim.

Em algum momento alguém vai levantar a bandeira de que esses projetos foram feitos sem o devido planejamento e isso até pode ser um fator, mas quando o assunto envolve tecnologia, segundo o próprio relatório, existem outros aspectos que você deve considerar. Segue um *checklist* para você se pautar:

### 1 - O gestor do projeto está comprometido com a implementação do projeto?

Não adianta ter um projeto revolucionário se a equipe diretiva não tem compromisso com o resultado. Por exemplo, se você cria um indicador de *performance* e identifica que alguns atores não performam conforme o plano e nenhuma consequência é constatada. Meta sem consequência não é meta.

### 2 – A empresa, sua cultura ou equipe em questão têm maturidade necessária para adotar a tecnologia proposta?

Um exemplo clássico é a adoção de um CRM. Como é feita hoje a gestão de relacionamento com sua base de clientes? Excel, Word, papel, lousa? Não adianta implementar o CRM mais completo do mundo para essa equipe, pois nem a equipe nem a empresa possuem maturidade para adotar tal tecnologia. Existe, por exemplo, CRM de entrada que pode iniciar a equipe no assunto, e depois de implementado e da cultura estabelecida, o próximo passo pode ser dado, afinal de contas tecnologia é como um sapato: um dia você terá que trocar.

### 3 – A equipe é qualificada ou está sendo preparada para adotar a tecnologia em questão?

Você pode comprar o *software* mais caro do mundo, da marca mais conhecida, com o melhor comercial de Rádio ou TV, ele vai se tornar apenas o projeto mais caro e não usado em sua empresa se os usuários não souberem ou não quiserem usar. Até é normal que em uma empresa os funcionários usem alguma planilha eletrônica para controlar algum processo na empresa, contudo é sinal de fracasso se qualquer planilha nasce para substituir algum *software* que tenha sido comprado para fazer o controle em questão. Nesse caso, ou o funcionário não foi treinado ou a tecnologia adotada foi a errada.

### 4 – Os objetivos a serem alcançados estão claros para todos os envolvidos?

Nesse ponto, a empresa faz integração entre as áreas, mostrando para elas qual seu papel e qual o objetivo em curto, médio e longo prazo. Aqui fica claro se todos vão andar na mesma direção ou não.

### 5 – A tecnologia a ser implementada é meio ou fim?

Um dos principais fatores de fracasso de um projeto é quando uma empresa se coloca de forma errônea no mercado, perdendo tempo, recursos, dinheiro e foco em coisas que não fazem parte do seu *core business*. Frequentemente encontro empresas que se dizem empresas de tecnologia e usam esse jargão para surfar nessa onda. Um exemplo prático é de um escritório de advogados que se colocava como uma empresa de tecnologia por fazer ICOs de empresas, criando lastro de vendas de frações de empresas usando *blockchain*. Usar tecnologia como meio para um projeto não torna nenhuma empresa uma empresa de tecnologia. Para saber se sua empresa é uma empresa de tecnologia, uma simples pergunta resolve o problema: se uma empresa quiser comprar sua "tecnologia" para usar em outra empresa, você vende?

Se a resposta for "não, pois esse não é o meu diferencial", tenha em mente que você não é uma empresa de tecnologia. Você é uma empresa que usa tecnologia como meio, e não como fim.

### Concluindo:

**1.** Se você for o gestor, comprometa-se incondicionalmente com o resultado do projeto. Se você não for, convença-o.

**2.** Crie uma cultura baseada na tecnologia adotada ou a ser adotada. Treine o time, crie indicadores e recompensas, mas principalmente cobre pelos resultados apontados.

3. Contrate um consultor de adoção tecnológica, treine seus gestores e coordenadores para garantir que seu investimento está sendo honrado e, se for o caso, troque a tecnologia.
4. Faça reuniões periódicas para alinhar os objetivos e garantir que todas as metas estão sendo atingidas. Deixe claro seus objetivos, principalmente os de médio e longo prazo.
5. A regra é simples: se não é seu *core business*, existe alguém que faz melhor, mais rápido e mais barato que você. Foque no seu *core business*. Faça o que você é bom em fazer. Delegue o restante. É mais barato, mais rápido e sobra mais tempo para aproveitar sua vida.

Acredito que esses cinco pontos bem trabalhados podem deixá-lo mais perto de um projeto tecnológico bem-sucedido.

**Referências**

LYO. *What is ERP?* Disponível em: <https://lyo.solutions/erp/>. Acesso em: 28. de nov. de 2019.

___. CRM. Disponível em: <https://lyo.solutions/crm/>. Acesso em: 28. de nov. de 2019.

STANDISHGROUP. *Chaos Report 2015.* Disponível em: <www.standishgroup.com/sample_research_files/CHAOSReport2015-Final.pdf>. Acesso em: 28. de nov. de 2019.

## Capítulo 24

## A Trilogia do Fracassado

*Samuel Queles*

O que faz uma pessoa fracassar sempre? Neste capítulo, você conhecerá três coisas que impedem uma vida abundante. Todo o seu histórico de sucesso ou fracasso passa pela percepção ou não desses fatores. Se você tem a capacidade de observá-los e compreendê-los, a mudança virá naturalmente. Mas se prefere resistir à mudança, certamente você é um personagem da Trilogia do Fracassado.

## Samuel Queles

Samuel Queles é graduado em Design de Produto pela UNA/MG; é especialista em Comunicação e Oratória pela FAVENI. Professor-titular na Academia de Polícia Civil-MG. Psicanalista pelo Instituto Brasileiro de Psicanálise. Palestrante e professor. Hipnoterapeuta clínico pelo Instituto Lucas Naves. Mentor de Pessoas, Organizações e Negócios Inovadores pela Global Mentoring Group – USA, um grupo internacional focado na alta *performance* de mentores, baseado nos Estados Unidos. Participou de treinamentos com mestres como Bruno Solis (Enterprise Account Executive for Latin America); Lais Oliveira (Director Of Community Development), Califórnia-Vale do Silício. *Masterclass* na Microsoft com Vinícius Depizzol (Principal Designer), Califórnia– Vale do Silício. Treinou com Cláudio Brito, CEO Global Mentoring Group e CEO Acelera Startups. Especialista em Análise Comportamental e Linguagem Não Verbal pelo IESEC-RJ.

**Contatos**
ocodigosecreto.com
samuelqueles@gmail.com
(31) 99371-2714

Em 1997, enquanto o naufrágio do Titanic fazia sucesso no cinema, a minha vida tinha chegado ao fundo do poço.

Essa situação não era exclusividade minha. Havia filas de emprego para gari com vagas disputadas por senhores que tinham Engenharia e Direito em seu currículo profissional. Eu era apenas mais um jovem sem formação ou habilidades de mercado levando porta na cara e tangenciando os limites de uma vida de fracasso. Eu vivia meu próprio filme e o final poderia ser uma tragédia.

Eu vou compartilhar, neste capítulo, como é que você pode sair de um estado de pobreza e derrota para uma vida de grandes realizações. A maneira mais interessante de se criar uma nova realidade é identificando o seu presente, mostrando exatamente onde você erra e quais são os motivos e opiniões e toda a sua bagagem histórica que o fez estacionar na contramão da vida.

### Personagem de um filme ruim

Se você está vivendo uma vida que nunca desejou, já perdeu o prazer em muita coisa e também a fé na vida; trabalha como um escravo e não sobra nada no fim do mês; tem um grande desejo de mudar, mas não sabe por onde começar, então, seguramente, você é um personagem da Trilogia do Fracassado. Você, hoje, é vítima do seu próprio comportamento e pensamento que, juntos, apontam para três coisas.

1. Não sabe o que você quer.
2. Não sabe quem você é.
3. Não sabe que pode mudar.

### Não sabe o que você quer

> "A mente dividida é instável em tudo o que faz."
> (Tiago 1:8)

Numa pesquisa feita com grandes personalidades do mundo dos negócios, dentre elas Bill Gates e Steve Jobs, foi perguntado qual seria o maior diferencial deles. Todos foram unânimes em responder: "Eu sei o que eu quero". Uma das coisas mais difíceis na vida de qualquer pessoa é descobrir a sua missão de vida. Saber com exatidão aquilo que você quer é uma chave escondida na programação da sua alma e que exige que você faça o impossível para quebrar esse código.

Eu cheguei aos 40 anos de idade totalmente perdido. Não sabia qual era o meu propósito de vida e sofria muito por isso. Quando você não sabe o que quer, você atira para todos os lados, tem milhares de ideias, esforça-se além do necessário, mas o resultado é sempre o mesmo: fracasso. Você pode ser o melhor vendedor do mundo, o melhor gerente ou ter o seu próprio negócio, mas se você não conhece o seu propósito de vida você será apenas um infeliz bem remunerado. E tenha certeza de que essa posição de destaque não será sua por muito tempo. A tendência sempre será de queda. Quando você está fora do caminho do seu coração (a sua autoridade interior), você viverá patinando entre cargos e negócios que vão levá-lo para qualquer lugar, menos para o seu alvo. O nosso conceito ortodoxo tradicional define como pecado uma série de coisas, costumes e comportamentos proibidos por diversos segmentos religiosos. Nessa miscelânea de opiniões, ninguém chega a um consenso, mesmo porque a mensagem original que a Bíblia quis passar sobre o conceito de pecado é que pecar é simplesmente errar o alvo. É perder a direção de você mesmo. É errar o caminho do seu coração. É desconhecer o seu propósito. Logo, saber o que você quer é o primeiro passo para a mudança de vida e isso implica o nível seguinte: descobrir quem você é.

### Não sabe quem você é

Uma coisa estranha que acontece é que quando você descobre a sua missão, automaticamente você passa a se conhecer por dentro. Sua sensibilidade e percepção aumentam muito e uma onda de confiança preenche todo o seu ser. Sua mente trabalha melhor e seu corpo transpira saúde. Nasce um sentimento de serenidade e significância e você passa a perceber nas outras pessoas as suas limitações autoimpostas e imediatamente visualiza o seu passado, pois você era exatamente como aquelas pessoas.

Quando você nasce, você é enquadrado no contexto de seu ambiente e isso vai definir o seu comportamento para o resto de sua vida.

Eu chamo esse processo de "caixinhas ideológicas". Caixinhas ideológicas são todo o histórico intelectual, emocional e social da vida de uma pessoa. Enquanto você se torna adulto, você vai aprendendo comportamentos e ideias que mais tarde farão você pensar que o seu ponto de vista aprendido é a "realidade" real. A TV, os meios de comunicação, as redes sociais, a escola, a religião, a política e a opinião dos especialistas vão determinando silenciosamente o seu modelo mental de vida. Você passa a viver conforme a opinião dos outros e pensa que é a sua opinião.

O cara militante da esquerda briga com o cara da direita e ambos têm uma caixa lotada de razões e argumentos, todos sempre lógicos de acordo com a visão de cada um. Cada um com o "seu" ponto vista marcando território. O mesmo acontece com tantas outras caixas que carregam bandeiras ideológicas, como as caixinhas do ativismo racial, do ativismo feminista, do ativismo religioso, do ativismo gay, dos ativismos do "eu não posso", do "se eu fosse rico", "se eu tivesse oportunidade" etc. Veja bem, olhe para você agora e tente buscar o momento exato em que você passou a adotar essas escolhas. Pense até onde elas levaram você. Experimente escolher, dentre elas, aquelas que fazem você feliz... Certamente você só vai encontrar resistência e indignação. Perceba que essas escolhas sempre delimitam a sua liberdade de pensamento quando colocam você na situação de "nós" contra "eles"; quanto mais você se identifica com estereótipos, mais você se afasta de sua consciência.

Você passa o dia brigando nas redes sociais, um leão feroz nos teclados, mas uma vítima no mundo real. Por dentro você se compara com aqueles outros que conseguiram o sucesso; a verdade é que você criou a sua própria incapacidade quando decidiu ser totalmente dependente de um mundo que nunca estará conforme as suas preferências. Você pode até negar e defender sua posição, dizendo: "Eu estou bem". Mas se a sua vida não está do jeito que você gostaria, você não está nada bem. Quando falo de posições políticas e ideológicas, não quero dizer que você deve ficar em cima do muro. Você pode, sim, ter as suas convicções, mas elas não podem atrasar a sua vida, os seus sonhos.

Eu vou contar algo que aconteceu comigo. Há alguns anos, eu evitei que um jovem negro furtasse um senhor idoso que passava pela rua. Instantes depois, eu escuto passos atrás de mim e quando me virei, deparei com aquele jovem na iminência de me atacar pelas costas. Eu me defendi e ele saiu correndo, e lá na frente, ele gritou: "Você tá negando a raça, irmão?". Na cabeça daquele jovem, o senhor idoso, por ser branco, tinha que ser roubado apenas pelo fato de ser branco. E eu, por ser negro, deveria apoiar a transgressão. Noutra ocasião, uma colega minha, branca, professora e escritora, que tem um posicionamento diferente do meu, me abordou e disse: "É, Samuel, você traiu nosso povo". Ela se referia às minhas preferências políticas. Eu não respondi nem contra argumentei. As posições políticas que adoto hoje podem ser mudadas com o passar do tempo e, além disso, eu sempre vejo coisas boas de ambos os lados sem me prender a nenhuma delas. Veja bem, são essas caixas ideológicas que prendem as pessoas no seu mundinho particular e quanto mais elas tentam se enquadrar, mais ficam longe de si próprias. Essas pessoas não têm referencial interno e sempre estão em posição de defesa contra alguma coisa ou situação.

Quem pensa assim é vítima de si próprio, mas culpa o sistema ou a sua falta de sorte pela situação em que se encontra. E, assim, segue sobrevivendo, de fracasso em fracasso, numa angústia silenciosa que não tem fim.

A falta de autoconhecimento é o caminho mais fácil para a vitimização e a inveja. Isso porque você não é a referência de si próprio. As suas referências são os outros; as coisas dos outros, o carro novo do vizinho, as viagens paradisíacas daquela colega no Instagram; o cargo que seu colega de trabalho ganhou e você, não. Enquanto você pensar dessa maneira, você estará longe do seu verdadeiro eu. Daí vêm as enfermidades, depressão, ansiedade crônica, ideação suicida. A propósito, enfermidade vem do latim: prefixo "*in*" (negação) mais o sufixo "*firmus*" (firmeza, apoio, algo sustentável). Então, enfermidade é a ausência de algo firmado em você mesmo. Certamente existem variadas causas, mas, na grande maioria, a depressão que você sofre pode ser a sua ausência de sustentabilidade interior. Você se apoia em dogmas aprendidos e nunca parou para pensar por você mesmo. Aprenda isso: você não é o seu histórico, não é a sua religião, suas ideias políticas, nem o que a mídia diz quem você é.

Eu costumo colocar um conceito claro, mas nunca exaustivo, para definir quem eu sou. Eu sou aquilo em que acredito ser e isso passa pelo despertar da minha consciência. E por falar em consciência, chegamos ao terceiro fator que mantém 97% da população na pobreza: você não sabe que pode mudar.

### Não sabe que pode mudar

Você é como um elefante de circo amarrado na cordinha sem consciência de sua força. Ele foi condicionado a acreditar, desde filhote, que aquela frágil cordinha tinha mais força que ele. Assim, ele se tornou escravo de sua própria "mente", pois foi criada uma "caixinha ideológica" para ele. Assim como o elefante, o seu ponto de apoio racional é a sua caixinha ideológica. Você acredita, de verdade, que as coisas só mudariam se soltassem a sua cordinha; se o "sistema" mudasse; ou se você fosse rico; você sempre usa o termo "sociedade" para se referir à sua pessoa.

Na Sociologia, o termo sociedade designa um grupo humano que habita em certo período de tempo e espaço, seguindo um padrão comum. Pegue o final dessa frase e reflita: "seguindo um padrão comum". Por padrão comum, entende-se, é o que resulta da média de um comportamento global. Então, você é como todo mundo acha que você deve ser. Você está na média da sociedade. Você preferiu ser medíocre em nome da sociedade. Você usa termos como "sociedade", "comunidade", "quebrada", "o povo", para se referir a você mesmo, e com esse pensamento acredita seriamente que está contribuindo para a construção do coletivo. Por mais contraditório que pareça, você só se sentirá parte de um todo quando você reconhecer a sua única e maravilhosa individualidade. Aí, sim, suas ações vão repercutir de maneira positiva em um ambiente coletivo. Mas, para isso, você tem de se reconhecer dono de seus próximos passos, em vez de esperar que o governo ou a distribuição de ração de forma igualitária resolva todos os seus problemas.

Em minhas palestras e cursos, procuro despertar a espiritualidade evolutiva das pessoas e isso não tem nada a ver com religião ou dogmas aprendidos. Quando se trabalha os níveis neurológicos superiores (missão, crenças, espiritualidade) é possível mudar os níveis de aprendizado inferiores que afetarão diretamente seu comportamento, atitudes e ambientes. Quem pode mais pode menos. Isso é libertador.

### Existe um final feliz

A melhor parte deste capítulo é saber que sempre existe uma saída. Se você chegou ao seu limite e não consegue mais caminhar sozinho, volte-se para o seu interior. Foi exatamente o que eu fiz, e hoje eu ajudo outras pessoas a encontrarem o caminho para as suas realizações. Busque modelos de referência e os aplique em sua vida. Viva uma vida de excelência. Mude o filme de sua vida. Comece agora!

## Capítulo 25

### Profissionais de alta performance na era da Quarta Revolução Industrial

**Saul Christoff**

Neste artigo, buscamos orientar sobre a importância de adquirirmos uma consciência da análise comportamental, mudanças e paradigmas, velocidade da informação, avanços tecnológicos e exigências desse novo cenário.

## Saul Christoff

*Master coach*, consultor, palestrante, *mentor*, especialista em T&D Pessoas e Equipes, pesquisador comportamental, CEO na Christoff & Pazzini. Criador do Programa de Treinamento Teaching Training "Treinamento para Ensinar", destinado a professores, treinadores, gestores, líderes e profissionais da área de treinamento e desenvolvimento profissional e humano. Formações na SBC (Sociedade Brasileira de Coaching): *Personal & Professional Coaching*; *Executive Coaching* (líderes e executivos de alta performance); *Positive Coaching*; *Career Coaching; Mentoring Coaching; Leader Coach*; Sucesso em Liderança (por Brian Tracy); Psicologia Positiva Aplicada; *Master in Coaching*. Formação: Profissão *Coach* (Geronimo Theml). Estudou na ULBRA Canoas-RS/Licenciatura em Educação Física e na Universidade Estácio de Sá de Belo Horizonte-MG/Administração.

**Contatos**
saulchristoff@gmail.com
(51) 99181-9393

## Saul Christoff

> "Não é o mais forte ou o mais inteligente que sobrevive, mas sim o que consegue lidar melhor com a mudança."
> Charles Darwin

Ser um profissional de alta *performance* é um assunto que deveria estar sendo discutido, debatido, analisado e, sem dúvida, comentado em todos os meios de comunicação, escolas e universidades. Acham exagero? Ou devem estar se perguntando o porquê de ser tão importante ou, então, acreditam que ser um profissional de alto desempenho, chamado também de *High Performance Professionals*, é somente uma questão de ganância financeira, para ter uma promoção, aumento de salário e/ou uma gratificação extra. Eu diria que é muito além de dinheiro, *status* ou oportunidades, é questão de sobrevivência! O mercado de trabalho está se transformando, a oferta de oportunidades está diminuindo em muitas áreas, postos de trabalho estão sendo extintos, o modelo de indústria já está se modificando, e não somente a indústria, a agricultura, o comércio, a logística etc. Os modelos de negócios que atravessaram gerações estão prestes à total extinção, e não paramos por aí, as formas de recompensa também entraram nessa evolução, a carga horária, direitos e deveres, pontos de trabalho, e até como e quando iremos nos aposentar. Em geral, tudo está se modificando, se transformando ou se adaptando à nova era corporativa, isso devido aos fatores tecnológicos. Sejam bem-vindos à Quarta Revolução Industrial (pesquise sobre).

Hoje, um profissional é verdadeiramente considerado de alto desempenho quando entrega mais resultados que a grande maioria entregaria na mesma situação, posição, com os mesmos recursos, mesmo tempo, sem sequer receber ordens, fazendo o seu melhor, não importando cargo, e mais, não espera quaisquer retornos, elogios, bonificações, honorários extras, comissões e gratificações. E esse profissional faz isso por quê? Porque faz parte dos seus valores, e tem como ideal "fazer mais e melhor aquilo que deve ser feito", todavia seus valores refletem em seus comportamentos, em virtude disso destaca-se positivamente, sai da zona mediana (medíocre) e vai para a "vitrine" de qualquer instituição, órgão, empresa e/ou corporação que esteja vinculado, e até mesmo no seu próprio negócio/empreendimento, que preze valores éticos elevados e desempenho acima da média. Ter e contratar profissionais que prestam bons serviços é o básico que todas as empresas e empregadores esperam para seu quadro de colaboradores, mas ter profissionais acima da média e/ou contratar alguém que faz mais e melhor, além do contratual, é sem dúvida o grande desafio das empresas desde sempre, agora, traçar o perfil do profissional ideal para suas atividades levando em conta a velocidade da informação é o que mais está impactando nos modelos de perfil "Avatar", para processos seletivos e de contratação nas empresas. Vale a pena definir seus significados e as diferenças entre um e outro.

**Valores:** os valores humanos podem ser definidos como os princípios morais e éticos que conduzem a vida de uma pessoa. Eles fazem parte da formação de sua consciência e da maneira como vive e se relaciona em uma sociedade. Os valores humanos funcionam como normas de conduta que podem determinar decisões importantes e garantir que a convivência entre as pessoas seja pacífica, honesta e justa.

- **Exemplos de valores humanos:** respeito, honestidade, humildade, empatia, senso de justiça, solidariedade, ética etc.
- **Crise de valores:** discute-se a existência de uma crise de valores humanos, que seria o distanciamento dos princípios éticos e morais, que deveriam ser cultivados por todas as pessoas. Muito se fala que essa crise ocorre em razão de mudanças sociais que permitiram uma mudança ou flexibilização de valores. Por esse motivo é preciso estar atento aos seus pensamentos e ações. Essa auto-observação é fundamental para que os valores não sejam relativizados.

**Atitude:** capacidade da pessoa avaliar determinada situação como sendo favorável ou desfavorável, referindo-se ao ambiente social ou físico.

**Comportamento:** são as ações visíveis, avaliadas de forma positiva ou negativa. A relação entre a atitude (que seria o "dizer") e o comportamento (que seria o "fazer") já vem sendo estudada há muito tempo. Estudos realizados nessa área identificaram três gerações de pesquisas: a primeira geração apresentou-se desanimadora, já que seus resultados não trouxeram maiores correlações entre os temas. Na segunda geração, as correlações foram altas, pois foram consideradas as circunstâncias de cada relação. A autora considerou, nessa fase, as implicações sociais que definiu como sendo "[...] as expectativas sociais, que dão significados às atitudes e às ações, que vão sendo, aos poucos, mutuamente associadas pela força das exigências sociais." (D'Amorim, 1985, p. 119). Nessa fase, foram considerados os aspectos ligados às expectativas da pessoa em relação ao seu ambiente social, para a realização de um comportamento. Durante as pesquisas, passou-se a considerar as crenças que as pessoas têm diante de comportamentos ou objetos. D'Amorim (1985) desenvolveu, então, o "Modelo Processual" de atitudes – comportamentos que envolviam os seguintes processos psicológicos: o primeiro processo é quando a pessoa evoca da memória atitudes anteriores; o segundo processo começa quando a pessoa passa por um processo de percepção seletiva; no terceiro processo, a pessoa será, por meio da percepção de episódios anteriores, influenciada a um determinado comportamento. Com o avanço das pesquisas nessa área, as crenças de cada pessoa passaram a ser consideradas no estudo das ações, chegando-se à conclusão de que "[...] é plausível que as atitudes das pessoas estejam relacionadas com as suas crenças relativamente a esses objetos alvo de atitude" (Stroebe e Stroebe, 1995, p.33). A garantia, na qual a atitude em relação às determinadas situações não implicará um comportamento igual; e a compatibilidade, pois as pessoas levam em conta, ao tomarem uma atitude, a compatibilidade com seus comportamentos, no entanto, para analisar essa atitude, teria que ser investigado o contexto de vida dessa pessoa. Com a percepção voltada para uma construção da historicidade humana, os estudos a respeito das atitudes e comportamentos se ampliaram, dando margem ao estudo das representações sociais. Segundo Spink (1995), o estudo da pessoa representa a análise do grupo ao qual ela pertence, pois as diversidades e contradições do grupo fazem parte dos processos de representações sociais de cada pessoa. Nesse sentido, há duas formas de estudo das representações sociais, que são: de grupos com o objetivo de se entender a diversidade, e o de pessoas para que sejam compreendidos os processos de elaboração das representações.

Como o mundo em que vivemos é totalmente social, nenhuma informação se afasta das representações sociais, já que a representação é a interação entre duas pessoas ou dois grupos (Moscovici, 2003). Portanto, as representações podem influenciar o comportamento das pessoas, já que essas participam constantemente de interações e processos coletivos em seus ambientes e suas comunidades. A teoria das representações sociais trabalha com a diversidade das pessoas e dos grupos, na busca da construção de um mundo estável e previsível. Nessa teoria, são analisados os "porquês", com a intenção de estudar os significados de nosso ambiente social (Moscovici, 2003). Durante o desenvolvimento, toda pessoa tende a construir processos de socialização que acarretaram o desenvolvimento das habilidades sociais, são assim vistas como sendo, "[...] o conjunto dos desempenhos apresentados pelo indivíduo diante das demandas de uma situação interpessoal, considerando-se a situação em sentido cultural amplo" (Silva, 2002, p. 123). Del Prette e Del Prette (2006) colocam que o uso competente das habilidades sociais dependerá de três dimensões: a primeira é pessoal e releva sentimentos, crenças e conhecimentos; a segunda é situacional, na qual é levado em conta o contexto, a presença ou não de outras pessoas e outros; a terceira é cultural, na qual são considerados os valores e normas do grupo.

**Habilidade:** é a qualidade de quem é hábil ou capaz de fazer algo.

- **Habilidades cognitivas:** são aquelas que nos permitem aprender, são faculdades mentais que possibilitam que memorizemos informações e façamos operações cerebrais que nos levem a processos de aprendizagem cada vez mais complexos. Podemos dizer que as habilidades cognitivas são aquelas que nos permitem adquirir conhecimentos e que algumas pessoas terão algumas dessas habilidades mais desenvolvidas do que outras. Por exemplo, determinado indivíduo tem uma grande habilidade cognitiva para a matemática, mas sofre um pouco para aprender história; outro poderá ter grande habilidade para a memorização, mas não ser muito bom em lidar com sentimentos. As habilidades cognitivas são inatas, certas pessoas nascem com certas aptidões, contudo, é possível desenvolver essas atividades através de estudos e exercícios, suprindo certas deficiências cognitivas e potencializando outras.

- **Habilidade motora:** capacidade de executar movimentos requerendo esforço físico ou não, com destreza, graça, harmonia e coordenação.

- **Habilidade profissional:** destreza demonstrada por um indivíduo em determinada área profissional, sua capacidade em desenvolver certas atividades e delas obter o seu sustento. Para tanto, esse indivíduo precisará fazer cursos profissionalizantes, como a faculdade, ou poderá aprender o seu ofício em seu próprio ambiente de trabalho, dependendo de qual for a sua profissão.

- **Habilidade social:** capacidade que certas pessoas têm de sociabilizar mais, nos diversos tipos de ambiente de sociedade em que convivem. Uma pessoa com habilidade social, em geral, é extrovertida e simpática, sabe se comportar de diferentes maneiras em diferentes lugares, sabe conversar, se expressar e também ouvir.

Nota-se que não comentei sobre as habilidades e competências técnicas, que são aquelas obtidas com as graduações, mestrados, doutorados, cursos, treinamentos, palestras, congressos, entre outras fontes de conhecimento, que dão certificações ou qualificações. Propositalmente não mencionei, porque cada atividade ou função específica possui suas próprias técnicas, tem seus próprios procedimentos e assim por diante. Notem que em qualquer atividade realizada por um ser humano, seja fazendo algo ou produzindo alguma coisa, de caráter simples às mais complexas, todas sem ressalvas, passam pelo julgamento de qualidade, opiniões e crivos de outros indivíduos, dos nossos parceiros, amigos, vizinhos, chefes, líderes, clientes e assim por diante. Tais julgamentos de qualidades se amplificam quando o julgador coloca seu tempo, energia, investimento, ego, expectativas, fé, em determinada tarefa que esteja realizando ou produto que esteja vendendo. Então, se fazemos ou vendemos algo bom, regular, fazemos o previsto, quero dizer, "fazemos o que todos fazem!". Corremos um grande risco de sermos substituídos por alguém que faça mais e melhor, que entregue um pouco mais. Se suas qualificações escolares e/ou acadêmicas não o sustentam mais no mercado de trabalho hoje, o que resta então? Adquirir comportamentos que poucos possuem e que não são ensinados em escolas regulares e universidades de ensino convencionais, comportamentos que nós, inclusive, buscamos em nossas relações, em nossas amizades e círculos sociais, que estejam alinhados com a realidade atual, alinhados com a velocidade da tecnologia e evolução humana.

**Comportamentos mais valorizados em empresas atualmente:** proatividade, flexibilidade cognitiva, resiliência, inteligência emocional, comunicação, criatividade, gestão de pessoas, tomadas de decisão, orientações para servir, automotivação, capacidade de negociação e autogerenciamento. Se observarem esses comportamentos citados, eles nos levam ao aprendizado e desenvolvimento a partir de referências pessoais, como nossos pais, pares, e seguindo exemplos de outras pessoas e, é claro, com leituras, mentores, processos de *Coaching*, *workshops*, palestras, seminários e afins.

O mais espectável é possuir e assumir a consciência dessa necessidade em aprender e aperfeiçoar esses comportamentos, estar atento às mudanças que estão ocorrendo, quase tudo ao nosso redor vai mudar e impactar com a Revolução Industrial 4.0, essa é a única certeza que temos! Em vez de temer e negar a tecnologia, é necessário se antecipar aos desafios que a nova realidade vai apresentar, iniciando um processo de autorresponsabilidade para potencializar os impactos de forma positiva. Aceitar que a vida é uma constante transição e que algumas mudanças são inevitáveis, buscando informações e entendimentos o quanto antes, pois as mudanças já estão ocorrendo no mundo todo. Os indivíduos, em sua maioria, não aceitam os riscos diante do novo e desconhecido, por esse motivo a adaptação leva tempo, pois as pessoas temem a perda muito mais do que a mudança em si, pense nisso.

Obrigado e bons estudos!

## Capítulo 26

### Estratégia positiva: um atalho para a alta performance

**Sergio Bialski**

Alta *performance* virou expressão da moda. Mas o que caracteriza um profissional de alta *performance*? Será possível alcançar a alta *performance* em ambientes organizacionais insalubres e refratários ao autodesenvolvimento pessoal e profissional? Qual a importância do estímulo positivo adequado para a construção do profissional de alta *performance*?

## Sergio Bialski

Graduado em Comunicação pela USP e Mestre em Ciências da Comunicação pela USP. Eclética formação acadêmica, com três pós-graduações: Gestão em Processos de Comunicação pela USP; Jornalismo Institucional pela PUC-SP; Comunicação Empresarial & Relações Públicas pela Cásper Líbero. Cerca de 25 anos de experiência no mundo corporativo, sendo 15 deles como Gestor de Comunicação em empresas multinacionais como Dun & Bradstreet, Wyeth, Rhodia, Aventis e Sanofi. Professor universitário há dez anos, em instituições como Anhembi Morumbi e ESPM, nos cursos de Publicidade, Relações Públicas e Jornalismo. Palestrante nas áreas de Criatividade & Inovação, Excelência em Atendimento, *Branding* e Comunicação para o sucesso. Ganhador de dez Prêmios de Reconhecimento nas universidades em que leciona, e ganhador do Prêmio "Professor Universitário 2018", promovido pelo Portal Imprensa, como "O Mais Inspirador Professor de Comunicação da Região Sudeste do Brasil", em votação pública em nível nacional. Coautor de cinco livros, três deles lançados em 2018: *Criativos, Inovadores e Vencedores*, *Manual Completo de Empreendedorismo* e *EducAção: inovações e ressignificações*.

**Contatos**
www.sergiobialski.com.br
sergio.bialski@outlook.com
(11) 99389-4558

## Sergio Bialski

Muito se fala, hoje em dia, que precisamos de profissionais de alta *performance*, aptos a lidar com o desconhecido e com o mundo em constante mudança em que vivemos. E isso não é lugar comum, afinal, a velocidade das mudanças que ocorrem em todos os campos impele um novo comportamento das organizações perante seus públicos. Elas passam a se preocupar mais com as reações sociais, com os acontecimentos políticos e com os fatos econômicos mundiais. Nesse contexto, o planejamento de políticas capazes de responder aos novos anseios e exigências adquire um significado cada vez maior, como uma necessidade para o presente e um investimento para o futuro.

Ao longo de minha carreira, conheci profissionais excepcionais, a maioria deles com amplo conhecimento na aplicação de conceitos como KPI (*Key Performance Indicator*), ROI (*Return Over Investment*), *Market Share* e tantos outros que fazem brilhar os olhos dos acionistas. Contudo, em tempos de transformações, o gargalo competitivo não está mais no aspecto operacional e técnico, mas sim nas pessoas, afinal, é sabido que profissionais motivados, resilientes, comprometidos e otimistas são fundamentais para a garantia de qualquer estratégia vencedora.

Ser um profissional de alta *performance* é ir muito além do esperado, possuindo competências e habilidades consideradas imprescindíveis pelo mercado e que a formação acadêmica e a capacitação técnica nem de longe preenchem. Alta *performance*, acima de tudo, é uma questão de atitude mental positiva que ocorre quando corpo e mente trabalham no mais elevado nível, mudando nosso sistema de crenças limitantes para crenças estimulantes, assumindo o controle das situações e projetando nossos objetivos a patamares de excelência que busquem sempre o desempenho máximo.

O uso da chamada "estratégia positiva" para alcançar a alta *performance* não é acreditar em soluções fáceis e mágicas para problemas e situações adversas, mas ter a capacidade de alcançar resultados surpreendentes a partir do uso do nosso potencial individual e agir, com foco e obstinação, para superar os desafios.

## Profissional de alta performance

Infelizmente, em nosso dia a dia profissional, o conceito de alta *performance* foi mutilado ao longo do tempo e associado à capacidade que um profissional tem de resolver problemas de forma rápida, adequada e sem traumas para a imagem das empresas. O resultado disso é que nos tornamos meros tarefeiros, desperdiçando talento pessoal e recursos para sanar adversidades ligadas a produtos e processos. Se você não está convencido dessa realidade, basta começar a contabilizar o tempo que gasta para solucionar situações que planejou resolver para um dia habitual de trabalho versus o tempo que gasta para resolver novos problemas que aparecem. O quociente dessa equação é desanimador e, ao longo dos quase 25 anos de minha carreira corporativa, sempre foi nítida a percepção de que o tempo de meu papel como gestor era gasto mais em questões de ordem tática e operacional do que em assuntos de ordem estratégica e criativa.

Pode parecer vergonhoso admitir isso, mas o pesquisador norte-americano David Cooperider, da Case Western University, reconheceu que a maior parte das empresas está focada em resolver problemas, debater conflitos, sanar disputas e buscar culpados. Isso gera um fluxo negativo que influencia na capacidade de transformação e inovação e, não raro, vemos o velho teatro corporativo em que executivos são chamados a participar de *team buildings*, em hotéis-fazenda ou *resorts* de luxo, e encenam verdadeiras tragicomédias que os obriga a abraçar companheiros de trabalho que eles detestam e a fazer elogios repulsivos aos valores da empresa que os oprime. E não poderia ser diferente, afinal, só constrói um futuro promissor a empresa que investe no talento de seus colaboradores e que proporciona um clima organizacional que reflita essa cultura. Apple, Google, Facebook, Disney, Amazon, Nubank, Netflix, Tesla, Salesforce são alguns exemplos positivos de empresas que encantam com esse tipo de postura.

É natural imaginar que *performance* seja avaliada de forma justa, afinal, os tão comemorados bônus corporativos são sinônimo de reconhecimento pelos resultados individuais e coletivos obtidos. Embora tenha ocorrido notável desenvolvimento nos processos de avaliação de desempenho nas últimas décadas, boa parte de seus mecanismos mirabolantes também integram uma verdadeira peça teatral, pois continuam focando naquilo que não funciona para o funcionário. O que não funciona é apontado de forma enfática pelos superiores e pelos "colegas" de trabalho, e o que funciona, se lembrado, nem sempre merece o destaque necessário.

Digo isso porque passei por esse pernicioso processo por mais de duas décadas e nunca (nunca mesmo!) vi a alta direção da empresa se preocupar em investir um centavo em treinamento para reforçar pontos positivos das pessoas. Uma das mais corriqueiras práticas é querer corrigir aspectos que são considerados falhos, defasados e inúteis, e nunca desenvolver ainda mais o que já é excelente. É aquele velho erro cometido com as crianças: se o estudante tem vocação para as ciências humanas e dificuldade para as exatas, por que não colocar esse aluno em aulas de reforço em humanas para que ele explore, em toda a plenitude, o seu potencial? Por que não pensar em reforçar o ciclo virtuoso do *feedback* positivo?

*Feedback*, aliás, é item escasso no meio corporativo. Primeiro porque, geralmente, os gestores alegam não ter tempo para isso, afinal, aprenderam que prêmios e benesses são sempre dados àqueles que entregam resultados a curto prazo e não àqueles que "perdem tempo" incentivando e dando *feedbacks* positivos diários à equipe, ou seja, agir é mais importante que pensar e motivar. Infelizmente não se sabe distinguir o que é importante e o que é urgente. Tudo o que é importante e agrega valor à equipe e ao ambiente de trabalho é deixado de lado porque, invariavelmente, o urgente se torna prioridade para agradar à solicitação de chefes ou de áreas que fazem pedidos sem o menor senso de planejamento.

Alta *performance*, sem dúvida, tem tudo a ver com o fato de estar no lugar certo e ter a capacidade de equilibrar os lados pessoal e profissional. Lembro-me aqui do famoso discurso de Bryan Dyson, ex-presidente da Coca-Cola de 1986 a 1991, que falou da relação entre o trabalho e outros compromissos da vida. Disse ele: "Imagine a vida como um jogo em que você esteja fazendo malabarismos com cinco bolas no ar. Essas bolas são: seu trabalho, sua família, sua saúde, seus amigos e sua vida espiritual. O trabalho é como uma bola de borracha: se soltá-la, ela bate e volta. As outras quatro bolas são frágeis e de vidro. Se soltar qualquer uma delas, ela ficará irremediavelmente lascada, marcada, com arranhões ou mesmo quebrada, ou seja, nunca mais será a mesma".

Qual o seu propósito de vida? Ou seja, qual a missão de sua existência aqui no planeta? Você já colocou isso no papel para que possa, diariamente, guiar suas atitudes pessoais e profissionais?

E os seus valores de vida, ou seja, suas crenças? Quais são?

Sugiro que você faça um rápido exercício e os escreva, de modo a colocar em perspectiva que atitudes pode tomar, em consonância com seu propósito de vida e com os seus valores, que contribuam com o atingimento de suas metas. Coloque isso em prática e descobrirá que quando se tem um alinhamento entre propósito e valores é mais fácil alterar a meta do que o contrário. Essa descoberta é muito importante para quem busca a alta *performance*, pois ela faz parte do processo de priorização do que é importante a ser alcançado.

Conheço chefes (não líderes!), em grandes empresas, que têm a arraigada convicção de que a vida particular do colaborador deve ser anulada pelo trabalho: eles enviam, num ritmo frenético e na calada da noite, mensagens de WhatsApp e e-mails, agendam teleconferências e ficam desapontados pelo fato de haver suposta "demora" em receberem resposta. Muito se fala em qualidade de vida, ambientes flexíveis de trabalho, *happy friday*, empoderamento, diversidade, mas a grande pergunta é: na maior parte das organizações, há sinceridade nisso tudo?

A cada dia fica mais clara a importância da Psicologia Positiva e o quanto estava correto o Dr. Martin Seligman, um de seus introdutores nos EUA, na década de 1990, afinal, a busca do bem-estar, da felicidade, das forças e virtudes do ser humano levam-nos a acreditar mais no conceito de "eupresa" do que na empresa. Felicidade, otimismo, altruísmo, esperança, alegria, resiliência, virtudes, energia e força fazem parte do profissional de alta *performance* e promovem uma atitude mental tolerante e criativa.

O Dr. Martin Seligman e o Dr. Christopher Peterson conduziram uma extensa pesquisa sobre as virtudes em diferentes culturas, religiões e filosofias e o resultado disso foi publicado, em 2004, na obra *Character strengths and virtues: a handbook and classification*. Eles desenvolveram um sistema de classificação denominado VIA (*Values in Action*), que enfatiza 24 forças de caráter, agrupadas em 6 grupos de virtudes, que são universais e abrangem capacidades para ajudar a nós mesmos e aos outros. Guarde-as com cuidado, pois podem ser a chave para uma vida em alta *performance*, diminuindo a distância entre você e seus sonhos, e permitindo-lhe trabalhar de forma mais eficiente para alcançar suas metas pela via mais curta e rápida:

1. **Virtudes da sabedoria e do conhecimento:** curiosidade, prazer em aprender, criatividade, perspectiva e abertura para novas ideias.
2. **Virtudes da coragem:** valentia, perseverança, integridade e entusiasmo.

3. **Virtudes humanitárias:** amor, compaixão e inteligência social.
4. **Virtudes da justiça:** cidadania, justiça e liderança.
5. **Virtudes da temperança:** perdão, humildade, prudência e autocontrole.
6. **Virtudes da transcendência:** apreciação da beleza, gratidão, otimismo/esperança, humor e espiritualidade.

Apesar de o atalho para uma vida em alta *performance* já ter sido estudado e tabulado cientificamente, parece que algo não está funcionando bem para a maioria das pessoas: um levantamento de 2018, realizado pelo Instituto Locomotiva e pelo grupo LTM (*Loyalty & Trade Management*), aponta que cerca de 56% dos trabalhadores brasileiros estão insatisfeitos com sua ocupação atual e desejam mudar de emprego. O resultado disso é o alto índice de doenças psicossomáticas em grande parte da população, com destaque especial para depressão, pânico e ansiedade.

Certa vez ouvi de um colega a seguinte frase: "somos o resultado da soma de tudo o que plantamos, subtraindo as oportunidades que deixamos de aproveitar ao longo de nossa existência". Se o resultado for positivo e você estiver motivado com o seu salário, clima organizacional e gestor, e se sentir realizado com o alto nível de reconhecimento que tem, considere-se um privilegiado e continue a sua trajetória. Mas, se estiver descontente, e se sentir que cada dia que levanta para ir ao trabalho é um peso e sofrimento, não dá para ficar parado, reclamando da vida: é chegado o momento de mudar.

O psicólogo e PhD pela Universidade de Harvard, Daniel Goleman, dedicou um capítulo de sua obra *Inteligência Emocional* à importância do autoconhecimento. Nele, Goleman recorda uma antiga história japonesa sobre o desafio que um guerreiro samurai fez a um mestre zen para que este explicasse o conceito de céu e inferno. O monge, com desprezo, respondeu:

— Não passas de um bruto! Não vou desperdiçar meu tempo com alguém de tua laia!

Furioso com o inesperado ataque à sua honra, o samurai, num acesso de fúria, não titubeou e arrancou a espada da bainha, bradando o seguinte:

— Deverias ser morto por tua impertinência!

Calmamente, o monge, com toda a sua sabedoria, retrucou:
— Isso é o inferno!

Espantado com o ato do mestre e entendendo a lição que estava sendo dada, o samurai se acalmou, guardou a espada e agradeceu o ensinamento. Nesse instante o mestre retrucou:
— E isso é o céu!

A consciência de nossos sentimentos no momento exato em que eles ocorrem, tal como a história do mestre e do guerreiro, é nas palavras de Goleman "a pedra de toque da inteligência emocional".

Esse aspecto é relevante nas discussões sobre alta *performance*, pois a autoconsciência – entendida como uma permanente atenção ao que estamos sentindo internamente – faz com que nossa mente observe e investigue o que está sendo vivenciado e possa tomar atitudes de mudança em relação a isso. Nas palavras de John Mayer, psicólogo da Universidade de New Hampshire, os autoconscientes são sofisticados no que diz respeito à sua vida emocional e a clareza com que sentem suas emoções pode reforçar outros traços de sua personalidade: são autônomos e conhecem seus próprios limites, gozam de boa saúde psicológica e tendem a ter uma perspectiva positiva sobre a vida. Quando entram num estado de espírito negativo, não ficam ruminando nem ficam obcecados e podem sair dele com mais rapidez.

Você já parou para pensar sobre o seu grau de autoconsciência em relação às opções de vida que fazem os seus olhos brilharem e o seu coração bater mais rápido? De acordo com a intuição, qual a sua verdadeira paixão e propósito de vida?

Alcançar alta *performance*, no final das contas, é muito mais do que superar as expectativas dos outros de vez em quando. É, antes de tudo, um autoencantamento a partir da descoberta de nossa real vocação e propósito neste mundo, explorando o nosso potencial de forma permanente e em toda a plenitude. O caminho, nós conhecemos. A estratégia positiva é um atalho para chegar lá de forma mais rápida.

## Capítulo 27

## Performance na visão de um *headhunter*

### Sérgio Ferreira

Ao longo da minha trajetória profissional, conheci e entrevistei milhares de executivos e empresários que possuíam as mais diversas características e habilidades. Comecei a estratificar essas características e segmentá-las de diferentes formas, analisando o que existia em comum naqueles que atingiram um patamar de desempenho fora da curva.

## Sérgio Ferreira

Engenheiro de Controle e Automação, graduado pela Pontifícia Universidade Católica de Minas Gerais. Começou sua carreira em uma grande multinacional canadense como estagiário. Por ali mesmo cresceu profissionalmente até se tornar gerente aos 25 anos. Aos 29 anos, assumiu uma posição executiva em outra grande multinacional e aos 32 optou por uma transição de carreira e começou um negócio próprio num campo totalmente diferente: *Executive Search*. Evoluindo nessa vida de empreendedor, desenvolveu um segundo negócio associado a um *hobby*: maturação de carnes a seco (*Dry Aged Steaks*).

**Contatos**
leadersbr.com
sergio.ferreira@leadersbr.com
LinkedIn: https://bit.ly/2OWDGXu
Instagram: @sergioaff | @dryagedbh
(31) 99888-4441

## Sérgio Ferreira

Ao longo da minha trajetória como executivo, *headhunter* e empresário, tive a oportunidade de conhecer milhares de profissionais e extrair deles material para uma pesquisa sobre quais características estão presentes em profissionais que conseguiram realizações e destaques relevantes em vários aspectos de suas vidas, principalmente no aspecto profissional.

Quando comecei o projeto, esperava encontrar muitas características diferentes. E de fato encontrei. Acabei sendo surpreendido quando me dei conta de que tudo que foi observado se encaixava em apenas três macro características fundamentais que vou chamar aqui de dominância, influência e dinheiro.

A dominância se refere à sua atuação. Sobre estar no controle de suas ações. Essa é a característica que irá atuar diretamente no desenvolvimento das demais. A influência trata sobre seu desenvolvimento no ambiente externo, sobre como você se relaciona com as pessoas usando sua criatividade para influenciar, persuadir e motivar. E a terceira basicamente se refere à administração dos seus recursos financeiros.

A coleta e análise de dados foi realizada entre 2016 e 2019. Determinar se um profissional pode ser enquadrado como um profissional de alta *performance* é muito subjetivo. Estabeleci então alguns critérios para a seleção. Dentre eles, a velocidade de ascensão na carreira, estabilidade nos empregos ou negócios, capacidade de transição para diferentes áreas de atuação e capacidade de adaptação em ambientes complexos. Tudo isso validado através de entrevistas presenciais. A maioria dos 187 profissionais que se enquadraram nesses critérios passou por minha empresa de *Executive Search* durante a participação em processos seletivos.

Ressalto que se trata de uma amostragem, onde foram consideradas as características mais frequentes observadas nos profissionais avaliados. A partir daqui, coloco minhas considerações sobre cada uma das três macro características encontradas, visando que você faça uma reflexão sobre sua atuação diante das mesmas.

Vamos às minhas considerações.

### Primeira característica – dominância

Começo a falar sobre essa característica fazendo uma pergunta. Como você vem lidando com as demandas que existem em sua vida?

Se a resposta for "está tudo em ordem", está faltando um desafio, algo para desenvolver. Ou seja, você simplesmente está administrando sua vida bem. Só isso. Imerso em uma rotina.

Se a resposta for qualquer uma que indique que algo precisa ser feito, existem duas possibilidades. Ou você não está conseguindo administrar sua vida ou você administra sua vida muito bem e ainda desenvolve algo buscando um patamar superior.

Perfis dominantes nunca estão completamente satisfeitos. Estão sempre em busca de algo novo. E, por isso, normalmente em débito com suas demandas, pois em boa parte dos casos são eles mesmos que as criam.

Sabe aquelas pessoas que não param nunca, que nunca estão satisfeitas, são ambiciosas e autoconfiantes? É assim que enxergo o perfil. E por que elas são assim? Basicamente porque não toleram sua situação atual e não porque simplesmente buscam uma vida melhor.

Todas as pessoas buscam uma vida melhor. A questão é que somente uma parcela mínima atua de verdade. E aquilo que você tolera determina o resultado que você recebe. Você tolera fazer um parcelamento de cartão de crédito ou entrar no cheque especial? Você tolera um relacionamento mediano? Você tolera acordar todos os dias da semana para ir àquele mesmo trabalho chato? Pronto! Já sabe o que vai ter.

O que chamo aqui de dominância se refere às suas habilidades e atitudes para enfrentar a vida. É muito comum revisitar nossos hábitos e encontrar problemas não resolvidos já associados a desculpas previamente criadas.

Infelizmente, na grade maioria dos casos, as pessoas sempre têm uma justificativa para falhar. E o pior dos casos acontece quando a pessoa realmente acredita que esse foi o real motivo. A responsabilidade da falha é sua. Foi falta de habilidade, inteligência, engenhosidade, criatividade, análise etc. Portanto, responsabilidade sua. Se isso não trouxer uma reflexão para você, a falha foi em vão. Quando um profissional admite que falhou, isso representa um patamar de conhecimento superior.

Bem, o que posso fazer para desenvolver minha dominância? Inicialmente é necessário que você pense com bastante cuidado sobre os *gaps* que você tem deixado em sua vida. Sobre o que você tem tolerado. E se quando você pensar que chegou à conclusão de que está tudo em ordem, pode parar com a leitura, porque o que vem a seguir, nesse caso, não acrescenta nada.

Tenho um ponto bastante interessante a citar sobre meu trabalho. Todas as pessoas sabem o quanto o inglês é importante dentro do mercado e quantas portas isso pode abrir. Entretanto, apenas uma parcela mínima da população é realmente fluente no idioma. Quando em uma entrevista eu pergunto: como está o seu inglês? São duas as respostas mais frequentes. A primeira é: "Fluente". A segunda, e mais comum, é: "Então..." Seguida de uma explicação. Lembrando que todos esses profissionais possuem no mínimo formação superior. Essa explicação é uma desculpa. "Nunca precisei falar inglês no meu trabalho", "já estudei muitos anos, mas estou enferrujado", "nunca tive tempo para estudar por conta da minha rotina" e outras.

Em minha opinião, o grande segredo é não tolerar. Quando isso acontece, acredite, você resolve. E tolerar está em você. Muitas pessoas mudam somente quando enfrentam grandes eventos, seja uma perda, um susto, um não. A inteligência do processo é tomar as decisões antes que a vida as coloque para você. Como mudar isso? Ainda não descobri uma fórmula mágica, mas tomar suas decisões e fazer um planejamento de médio e longo prazo sobre aquilo que deseja desenvolver e realizar realmente ajuda. Desde que seja de uma maneira bastante adequada à sua realidade e que não seja deixado de lado.

E, por fim, o mais importante: resolva! Entregue! Não crie desculpas.

### Segunda característica – influência

Todos nós dependemos de outras pessoas para viver. Possuir uma rede de relacionamentos interessante certamente irá fazer toda a diferença para você. Neste momento, você deve estar pensando... Poxa, Sérgio, todo mundo sabe disso! Verdade. A questão é o quanto você é capaz de utilizar sua rede para gerar resultados. E aí eu pergunto: o que você conseguiu extrair da sua rede nos últimos três meses? Muitas vezes, algo útil simplesmente chega para você. Como uma indicação para uma vaga de emprego, um *lead comercial*. Ainda assim é reativo. Se você tem vergonha de pedir ajuda ou compartilhar alguma informação sobre algo que tem dificuldade, não imagine que do nada alguém venha lhe ajudar. Lembre-se que relacionamento é algo dinâmico. Pessoas influentes sentem necessidade de desenvolver novos relacionamentos.

Vou contar uma história minha. No segundo semestre de 2018, eu já havia constituído meu negócio de carnes maturadas a seco. A operação já rodava há seis meses. Estava eu, depois de treinar, com alguns colegas de treino numa mesa de boteco aproveitando um *happy hour*. Uns eu conhecia e outros, não. Comentei sobre meu novo negócio (com um tom bem comercial para que isso despertasse interesse nos presentes) e sobre uma dificuldade pela qual o negócio estava passando naquele momento. Quando terminei de explicar o caso, uma das pessoas que eu não conhecia disse o seguinte: "Eu conheço um cara. E acho que ele tem o que você precisa numa condição muito interessante. Vou passar o contato para você". Esse contato fez meu negócio crescer 322% em seis meses. Basicamente era um fornecedor que até então não existia na internet e nem nas redes sociais, localizado no interior de Minas Gerais. Foi sorte? Claro que não. O que você não sabe é o quanto eu já havia abordado esse assunto com diversas pessoas.

Logo, sempre que oportuno, comente sobre aquilo que faz, sobre as dificuldades que tem, sobre suas vontades... Alguém certamente tem alguma informação que poderá alavancar seus projetos.

Para ser influente, você precisa gostar de pessoas e compreender seus comportamentos. Precisa se relacionar, sempre com inteligência. Precisa se comunicar de forma adequada e hábil.

Influência é poder. Vou citar uma passagem do Tony Robbins para exemplificar:

> Poder hoje em dia é a capacidade de comunicar e a capacidade de persuadir. Se você for persuasivo sem pernas, convencerá alguém a carregá-lo. Se não tiver dinheiro, convencerá alguém a lhe emprestar algum. A persuasão pode ser a técnica máxima para criar mudança. Afinal, se você for um persuasivo que esteja sozinho no mundo e não queira continuar assim, encontrará um amigo ou amante. Se for um persuasivo com um bom produto para vender, encontrará alguém que o

comprará. Você pode ter uma ideia ou um produto que possa mudar o mundo, mas sem o poder de persuadir você não tem nada. A vida toda é sobre comunicar o que você tem a oferecer. Essa é a técnica mais importante que você pode desenvolver.

E como posso desenvolver isso? Existem muitas características pessoais, como introversão e timidez, que certamente irão dificultar o processo e necessitarão ser trabalhadas previamente. Comece a falar com as pessoas. Estabeleça ciclos de encontros. Sejam formais ou informais. Potencialmente você não se sentirá confortável no começo. Mas logo irá identificar aquelas pessoas que estão abertas e que também buscam estender o seu ciclo. Contribua também. Precisa ser mútuo.

Como posso ajudar?

**Terceira característica – dinheiro**

Meu propósito aqui é expor comportamentos sobre a gestão do dinheiro. Dinheiro resolve muita coisa. E gera tranquilidade.

Fique sem dinheiro para entender que até seu cachorro vai querer largá-lo. Simples assim.

Certa vez, quando tinha uns 25 anos, um amigo, que na ocasião tinha 45, me perguntou: "Sérgio, qual é a coisa mais importante na sua vida?" Respondi que era minha família. Ele disse o seguinte: "Errado. A coisa mais importante na sua vida é seu trabalho". Fiquei muito tempo tentando entender aquilo. E entendi. E, além disso, concordei. Quando meu amigo falou sobre trabalho, na realidade ele estava se referindo a dinheiro. Pense você. Faz sentido?

Fiquei pensando muito sobre essa história de dinheiro. E aí percebi o quão mal eu administrava o meu. Eu tinha um bom salário, na ocasião muito melhor do que os dos meus amigos próximos e, ao mesmo tempo, estava gastando simplesmente tudo. Eu tinha segurança no meu emprego e, mesmo que a empresa quebrasse, eu tinha segurança quanto ao meu currículo para conseguir novas possibilidades. Comecei a estudar sobre o tema e percebi que mudar aspectos de sua administração financeira não é nada fácil.

Vou citar uma passagem do livro *Pai rico, pai pobre*, que exemplifica o que quero dizer.

O feliz casal, nascido há 35 anos, está agora preso na armadilha da 'Corrida dos Ratos' pelo resto dos seus dias. Eles trabalham para os donos da empresa, para o governo, quando pagam seus impostos, e para o banco, quando pagam cartões de crédito e hipoteca. Então eles aconselham seus filhos a estudar com afinco, obter boas notas e conseguir um emprego ou carreira seguros. Eles não aprendem nada sobre dinheiro, a não ser com aqueles que se aproveitam de sua ingenuidade e trabalham arduamente a vida inteira. O processo se repete com a geração seguinte de trabalhadores. Essa é a 'Corrida dos Ratos.

A única maneira de sair da "Corrida dos Ratos" é "provar sua proficiência tanto na contabilidade quanto no investimento, que são dois dos assuntos mais difíceis de dominar."

Não se deixe cair na rotina de simplesmente trabalhar, gastar todo o seu dinheiro e seguir assim. Conheço pessoas que agiram assim por anos, a minha mãe é uma delas. Tive o exemplo em casa. Escutamos as pessoas falarem que querem trocar de carro, mudar para um apartamento maior, que planejam uma viagem sensacional e continuam trabalhando para manter esses luxos. E o custo de vida vai só aumentando. Na sequência vêm os filhos, faculdade e, de repente, você olha para sua vida e percebe que está preso no mesmo ciclo – você necessita trabalhar para pagar as contas e simplesmente continuar o ciclo.

Já estive nesse ciclo. A segurança de um salário é sensacional. E, talvez, sua melhor alternativa hoje seja continuar sendo empregado. Não estou incentivando ninguém a empreender. Precisa ter perfil. Acredito que coragem está intimamente associada à vulnerabilidade. Se você consegue se colocar em situações de risco, que o deixam vulnerável, certamente será capaz de alçar voos mais altos. Assim como os investimentos de risco podem ter retorno melhor. Em todos os momentos, existirão opções de investimento boas e ruins. Cabe a você pensar se vale mais a pena investir em um determinado fundo ou "investir" em um carro novo.

Repense seus hábitos, administre bem seu dinheiro.

**Referências**
ROBBINS, Anthony. *Poder sem limites*. Editora Best Seller, 2019.
KIYOSAKI, Robert T. e LECHTER, Sharon L. *Pai rico, pai pobre*. Editora Campus, 2000.

## Capítulo 28

### Mindset universitário: relatos de uma experiência

**Sibeli Cardoso Borba Machado**

Neste capítulo, propõem-se reflexões sobre o *mindset* do universitário, conjunto de atitudes mentais do estudante que influenciam diretamente comportamentos, pensamentos, ações e hábitos ao longo da formação acadêmica.

## Sibeli Cardoso Borba Machado

Bacharela e Licenciada em História pela Universidade do Sul de Santa Catarina - UNISUL (2003 - 2007). Especialista em Gestão de Acervos Históricos pela Universidade do Sul de Santa Catarina - UNISUL (2007- 2009) e Mestre em História do Tempo Presente pela Universidade do Estado de Santa Catarina- UDESC (2008-2010). Docente dos cursos de graduação da Faculdade do Vale do Araranguá - FVA. *Master Coach* (2018), *Master Trainer* (2018), *Business and Executive Coach* (2017), *Professional e Self Coach* (2016) pelo IBC - Instituto Brasileiro de Coaching. *Life Coach* pelo Instituto Vanessa Tobias - VT (2014). Experiência de 15 anos como professora, coordenadora de cursos técnicos e superiores e como coordenadora de pesquisa e extensão. Tem experiência nas áreas de Cultura, Educação, Gestão e *Coaching*. É proprietária da empresa Sibeli Borba Coaching, especializada em *Coaching* de Vida, Carreira e Negócios. Autora do livro *Maracajá em Foco* (2016) e coautora do livro *Coaching para a vida* (2017).

**Contatos**
contato@sibeliborba.com.br
sibeliborba.com.br
Facebook: @sibeborba
Instagram: @sibeli_borba_coaching
WhatsApp: (48) 99800-4252

Ao longo dos mais de vinte anos de experiência profissional como professora em cursos técnicos, graduação e especialização e em áreas administrativas em diversas organizações, eu sempre me senti provocada por uma reflexão: o que faz com que alguns estudantes e/ou profissionais lidem de maneira tão distinta com os termos sucesso, desafio e fracasso?

Certamente você já conviveu com alguém que, ao não realizar uma tarefa da forma como gostaria, se sentiu incomodado, frustrado ou decepcionado. Por outro lado, você já deve ter conhecido pessoas para as quais o fracasso ou o não alcance de uma tarefa não desperte nenhum tipo de sentimento negativo ou desmotivação. Pelo contrário, aceitam-se e se sentem motivadas para encontrar outra alternativa para a situação. E por quais motivos isso acontece? Como as pessoas agem de maneiras tão distintas?

Provavelmente, uma das razões que justificam essa variação reside no que chamamos de *mindset*, isto é, mentalidade ou conjunto de atitudes mentais que influenciam diretamente os comportamentos e pensamentos das pessoas, e que afetam diretamente o modo como elas vivem a vida. Em seus estudos, a pesquisadora Carol S. Dweck, psicóloga e especialista renomada no assunto, afirma que os modos otimista e pessimista de enxergarmos a nós próprios definem nossas atitudes e ações perante as diversas circunstâncias de nossas vidas. Em décadas de pesquisa, a autora reconhece dois tipos de *mindset*: o *mindset* fixo e o *mindset* de crescimento. Vamos falar sobre eles a partir daqui e assinalar como eles se revelam no ambiente acadêmico, durante a formação profissional.

### Reconhecendo o *mindset*

Como *mindset* fixo podemos entender o tipo de mentalidade que concebe as qualidades como imutáveis e que cria "a necessidade constante de provar a si mesmo o seu valor" (DWECK, 2017, p.14). Um bom exemplo disso é que alguns de nós crescemos com nossos pais e mães exigindo altos padrões de rendimento escolar. Possivelmente, foi-nos requisitado adotar e desenvolver habilidades de organização, pontualidade, inteligência, boa comunicação, além de notas altas. Esses padrões desenvolvidos no indivíduo ao longo da vida operam, em certa medida, como balizadores e passam a compor o nosso *mindset*, entendido como o conjunto de atitudes mentais ou crenças que adotamos ao longo da vida acerca de nossos próprias capacidades, como: sou inteligente ou não; tenho facilidade de me comunicar ou não; sou organizado ou não; tenho que tirar a nota mais alta ou não; e por aí vai.

Como professora universitária é muito comum perceber em sala de aula como os estudantes lidam com as suas próprias crenças, e como esses dispositivos são acionados ao receberem os estímulos dentro do ambiente acadêmico. E, geralmente, eles são acionados frente às tarefas mais desafiadoras ou difíceis na percepção de cada aluno. As crenças, ao mesmo tempo que servem como definição de como o indivíduo percebe a sua existência, servem também como instrumentos de autocobrança e, não raro, de autopunição. De alguma forma, é como se tudo passasse por esse filtro, e aí reside a maneira como lidamos com tudo aquilo que acreditamos ter habilidade ou não. "Cada situação passa por uma avaliação: terei sucesso ou fracassarei? Farei papel de tolo ou me mostrarei inteligente? Serei aceito ou rejeitado? Vou me sentir vencedor ou derrotado?" (Id., p.15).

Esse tipo de mentalidade faz com que as pessoas entendam que se não nasceram com determinadas habilidades e potencialidades não poderão adquiri-las ao longo da vida. É comum que pessoas com crenças dessa natureza afastem-se de desafios, sintam-se desconfortáveis com implementações de novas rotinas e processos e que, não obstante, tendam a se fechar para os desafios e que, inclusive, sejam capazes de não aceitar uma promoção profissional quando avaliam que o grau de dificuldade é maior do que estimam controlar. Nesse contexto, é importante que tenhamos empatia e alteridade na compreensão desses mecanismos.

Ao longo dos anos em que ministrei a disciplina de Sociologia Aplicada em diversos cursos de graduação[1], foi possível identificar como a minha decisão de utilizar metodologias ativas[2] no processo de ensino-aprendizagem impactava, significativamente, no processo de construção do conhecimento e na melhoria de *performance* dos alunos. Era fácil perceber que os estudantes de *mindset* fixo apresentavam maior dificuldade em lidar com a

---

1 Educação Física, Administração, Ciências Contábeis e Enfermagem.
2 Para aprofundar esse tema: BACICH, L.; MORAN. J. (Org.). *Metodologias ativas para uma educação inovadora: uma abordagem teórico-prática*. Porto Alegre: Penso, 2018.

variação de estratégias de aula e a multiplicidade de instrumentos de avaliação, que iam desde um júri simulado até a produção de uma minissérie temática – trabalhos que requerem, além de competência técnica, competências comportamentais como adaptabilidade, automotivação, trabalho em equipe na solução de problemas, capacidade de negociação, comunicação efetiva etc. Não quero dizer com isso que os indivíduos de *mindset* fixo não as possuem, mas, sim, que essas atividades requerem mais abertura ao novo e ao improviso.

Não menos esperado, é frente ao novo que as crenças limitantes adentram a sala de aula e ensaiam possibilidades de sabotar o planejamento a convite do medo, da ansiedade, da resistência, da insegurança, da dificuldade e de tantos outros argumentos, especialmente frente ao processo de avaliação que traz instrumentos ainda pouco explorados. Aqui me recordo das expressões que já perdi a conta das vezes de ter ouvido: "Por que não faz o comum, professora?", "Isso é impossível para nós!", "Não temos tempo hábil para realizar isso."

Certo é que, por séculos, os processos de formação escolar sempre estiveram centrados na figura do professor, tutor ou mentor como protagonista do processo de ensino-aprendizagem – aquele que "detém" o conhecimento. Portanto, criar estratégias que alterem esses cenários a fim de que os alunos tomem para si o papel de protagonistas pode não ser tarefa simples e requer persistência. Afinal, ainda percebo em minhas salas de aula que alguns ficariam mais confortáveis se a aula expositiva-dialogada, conduzida pelo professor, voltasse a assumir, majoritariamente, o centro do palco.

Por outro lado, o *mindset* de crescimento está baseado na crença de que o indivíduo é capaz de "cultivar suas qualidades básicas por meio de seus próprios esforços. Embora as pessoas possam diferir umas das outras de muitas maneiras, em seus talentos e aptidões iniciais, interesses ou temperamentos, cada um de nós é capaz de se modificar e desenvolver por meio do esforço" (Id., p.15), da persistência e da experiência.

Pessoas com esse perfil acreditam que o potencial de cada indivíduo ainda deverá ser descoberto, e que o impossível pode ser alcançado a partir do treinamento, da resiliência e do esforço. Elas acreditam que o grau de complexidade de uma tarefa ou etapa não significa sua impossibilidade de realização. O *mindset* de crescimento dá espaço para o desafio e para o aprendizado. Pessoas com essa natureza não investem tempo em provar a si mesmas suas capacidades quando percebem que há espaço para aperfeiçoá-las. Aqui, o que já é sabido e provado dá espaço para novas experiências, a partir de um estado de abertura e proposição contínua.

Em se comparando os dois perfis, é possível perceber que as pessoas com *mindset* fixo não consideram o valor de se desafiar e a importância do esforço como princípio definidor e capaz de implementar qualidades necessárias ao sucesso. Outro ponto de análise importante é que "quando ensinamos a alguém esse *mindset*, cujo ponto focal é o desenvolvimento, as ideias sobre desafio e esforço vêm em seguida. Da mesma forma, não se trata somente de que para algumas pessoas o desafio e o esforço podem não ser agradáveis" (Id., p. 18).

Somados à reflexão desses dois perfis de mentalidades, trago ainda o que tenho chamado de SIM, a Síndrome do Esforço Mínimo. Falaremos disso a seguir.

### A Síndrome do Esforço Mínimo

Defino como Síndrome do Esforço Mínimo a decisão de algumas pessoas sempre se preocuparem em conhecer e, consequentemente, seguir sempre os contornos primários para conseguir desempenhar qualquer atividade ou função. Chamo-a de linha imaginária, a qual os indivíduos traçam como rota de ação segura para executar uma tarefa sempre priorizando a minimização das margens de erro, reprovação ou surpresa. Geralmente é a rota mais seguida pelas pessoas com *mindset* fixo.

Espere, não se precipite! Pense comigo. Ao longo desses anos atuando como docente que ministra disciplinas mais teóricas do que práticas (e aí reside também o desafio), sempre ouvi as seguintes indagações: "Professora, quantas avaliações teremos neste semestre?", "Você utilizará instrumentos avaliativos muito desafiadores?", "Serão apenas esses?".

Não suficientes às informações descritas no Plano de Ensino de cada disciplina, sempre havia por parte de alguns estudantes uma inquietação com os possíveis desafios que enfrentariam ao longo das minhas aulas. Certo é que conhecer o planejamento é fundamental e isso não está em debate, mas o que trato aqui é uma problemática de outra natureza: a necessidade de se conhecer efetivamente a rota como se não houvesse nenhuma necessidade de tomar atalhos ao longo do percurso, ou como se o caminho escolhido sempre apresentasse muitos desafios.

Certo é que nos primeiros anos da carreira cheguei a me questionar várias vezes sobre os meus métodos de ensinagem[3] e, por pouco, não tomei para mim a crença de que meus métodos avaliativos eram complexos demais. Sim, isso quase aconteceu. No entanto, ao tomar contato com os primeiros estudos sobre *mindset* da pesquisadora Dweck, pude compreender o que efetivamente acontecia em minha sala de aula e nos ambientes organizacionais em que convivi. O que estava posto em discussão sempre era a questão de como as diversas pessoas se comportavam devido ao seu modelo de mentalidade, como enxergam a si próprias, com quais crenças convivem e como decidem agir frente às circunstâncias que o mundo oferecia. E, como professora, eu fazia parte desse mundo.

Nesse cenário, também se revelam as crises das passagens das fases do desenvolvimento humano. Pode-se dizer que nenhuma transição de fase é menos complexa do que a outra. A universidade é também o espaço onde as contradições e os conflitos se revelam. Em sua grande maioria, os ingressantes vivem a mudança de fase enquanto, paralelamente, vão construindo uma carreira profissional. E, como uma bússola que orienta o caminho, o *mindset* vai tracejando as rotas na busca por resultados exitosos e que os coloquem em lugar de destaque no mercado. Aqui, a cobrança de se mostrar e o compromisso de ser visto passam a ser ainda maiores.

## A Síndrome do Esforço Mínimo aplicada ao mercado de trabalho

Ao adentrar o debate sobre mercado de trabalho, é importante relembrar: em algum momento da vida você já teve de realizar uma tarefa que não era de sua responsabilidade? Se sim, como você se sentiu? Como você se comportou? Posso presumir que naquele momento você tinha duas opções: enxergar naquilo uma oportunidade de crescimento e dar solução à tarefa ou justificar que não poderia realizar a atividade por não fazer parte de seu ofício ou expertise.

Não quero dizer com isso que tenhamos de assumir tarefas que não sejam nossas, tampouco que você não esteja se esforçando, mas o convido a pensar sobre as oportunidades que vão

---

[3] Para aprofundar esse tema: ANASTASIOU, Léa das Graças Camargos e ALVES, Leonir Pessate (orgs.). *Processos de ensinagem na universidade: pressupostos para as estratégias do trabalho em aula*. Joinville, SC: Editora Univille, 2003.

surgindo e que, porventura, você possa estar desperdiçando. A SIM nos coloca numa posição desvantajosa, principalmente em momentos cruciais como os de processos decisórios de promoção e/ou reconhecimento. E mesmo que você não tenha percebido, esses processos iniciam na universidade logo que seus professores o convidam para participar de uma publicação importante ou um grupo de pesquisa, aceitam o seu pedido de orientação, recomendam você à vaga de trabalho tão sonhada, e por aí vai.

Para tanto, trago-lhe uma provocação: quando você pensa na palavra esforço qual imagem vem à mente? Quando eu penso nessa palavra, sempre mentalizo a cena de alguém que age e é dedicado, corajoso e desacomodado. Como docente, imagino alguém inquieto e disposto, que trace um objetivo e que fará todo empenho para conquistá-lo. Aqui, abrir-se-iam inúmeras frentes para tratar do estado de ações propositivas dos sujeitos, o que poderia ser o plano de fundo da tela, entretanto, destaco apenas alguns elementos que, certamente, fazem parte dessa paisagem: o enfrentamento, a resiliência, a vontade de aprender, a congruência e o esforço. Provavelmente, esses elementos completam a imagem que tentei desenhar com as provocações iniciais deste texto sobre o sucesso, o desafio e o fracasso.

Dito isso, independentemente do seu perfil de *mindset*, não é tarefa fácil para qualquer estudante se aventurar numa imersão de si mesmo e se expandir constantemente, assim como a mesma experiência também não é fácil para o professor, que tem de se reinventar a cada semestre letivo, aprimorando seus métodos de ensino, de modo que atenda, eficazmente, as atuais demandas de alunos cada vez mais capazes, exigentes e plurais.

**Referência**
DWECK, C. S. *Mindset: a nova psicologia do sucesso*. São Paulo: Objetiva, 2017.

## Capítulo 29

### A alta performance em três áreas de nossa vida

**Sidney Botelho**

O ser humano é capaz de buscar êxito em todos os setores da vida, mas muitas vezes esquece de ser excelente em áreas importantes e fundamentais para gerar a satisfação tão esperada. Neste capítulo, descrevo que ações e atitudes são a base para que o desempenho seja eficaz e se encontre a plenitude da felicidade nas áreas pessoal, profissional e acadêmica.

## Sidney Botelho

*Master Trainer, Master Coach*, especializado em *Coaching* Ericksoniano e *Professional Self Coaching*, todos pelo IBC--Instituto Brasileiro de Coaching, pós-graduado em Negócios e Serviços (Universidade Presbiteriana Mackenzie) e pós-graduado em *Coaching* - Transformação Pessoal & Desenvolvimento Humano (Universidade Monteiro Lobato). Experiência de 29 anos nas áreas de TI/Telecom, com passagens em grandes multinacionais, 21 anos na área de Rádio e TV, sendo âncora de telejornal na Rede Gospel de TV, 19 anos na área de Cerimonial e Eventos, como apresentador e mestre de cerimônias. Escritor do livro *Além do microfone – improvisos de um mestre de cerimônias* (2016), coautor dos livros *Coaching de carreira* (2019), *Coaching - mude o seu mindset para o sucesso* (2019) e *Manual prático do empreendedor* (2018), todos pela Editora Literare Books. CEO e Palestrante da Toye Coaching, Training & Events.

**Contatos**
sidneybotelho.com.br
sidneybotelho@sidneybotelho.com.br
Instagram: @sidneybotelhooficial
YouTube: Sidney Botelho

A palavra do momento é foco e quando somamos à alta *performance* alcançamos com mais facilidade o nosso objetivo e, principalmente, o sucesso em todas as áreas a que nos dedicamos intensamente.

No mercado empresarial atual, as empresas buscam profissionais que vão além do que se foi proposto no período de negociação, pois diante da entrega de algo mais, o colaborador surpreende os seus gestores, facilitando o seu progresso dentro da companhia, demonstrando o diferencial em comparação aos seus pares.

Para alcançar a alta *performance* esperada, ao longo da minha vida eu desenvolvi técnicas que me auxiliam a ter êxito em todas as minhas dez profissões, em três áreas distintas, mas que eu entendo que me ajudaram a avaliar todas as situações e acontecimentos que surgiam ao longo dos quase trinta anos nas corporações.

Os profissionais precisam reconhecer, para si próprios, que possuem três setores que devem se dedicar ao extremo para que a engrenagem funcione em sua rotação correta, em prol da meta estipulada.

Percebo que se desenvolver é a questão mais difícil para a geração atual, que tem tudo nas mãos e não usufruem das infinitas informações que chegam a cada fração de segundos para que possam dar passos largos na frente do colega ao lado.

Esse processo de ampliação de conhecimento é muito complexo, mas se entendermos quem somos de verdade e o que queremos para nós, não haverá dificuldade, a não ser as que surgem para o nosso amadurecimento e nossa superação. Por isso, eu apresentarei a minha metodologia para ter a tão esperada alta *performance*.

Primeiramente, entenda que temos ciclos de mudança contínua em nossa existência, sendo que nascemos, nos tornamos crianças, adolescentes, jovens e adultos. Em cada uma dessas etapas, temos percepções e opiniões que divergem daquelas de centenas de pessoas que convivemos, principalmente das mais próximas.

Diante de todas as barreiras dos ciclos de vida, percebemos que precisamos distinguir o certo do errado para não fracassar.

O fracasso é o sentimento que mais incomoda o indivíduo, deixando-o desmotivado em seguir o seu caminho com receio de sentir novas dores em suas antigas feridas ou em novas que chegam com a falta de estudo de todas as suas ações.

E nada como a experiência de vida para mostrar novos horizontes, foi quando parei e elaborei um plano para que eu pudesse desfrutar de uma vida em abundância com a mesma velocidade que eu esperava, devido ao meu imediatismo em obter os resultados o mais rápido possível.

O método que utilizo é eficaz, pois eu percebo que, quando aplicado com precisão, qualquer pessoa muda o pensamento e aumenta o foco em direção a algo mais audacioso.

Esse método se divide em três áreas, que eu denomino como vidas, sendo: Vida Pessoal, Vida Profissional e Vida Acadêmica.

### 1. Alta Performance na Vida Pessoal

Toda estratégia de evolução humana e intelectual tem que começar pela vida pessoal, sendo que diante do nosso convívio com familiares e amigos é que aproveitaremos a nossa criatividade para alcançar a alta *performance* em todos os setores da nossa vida.

Naturalmente, o indivíduo não percebe o bem que faz quando estamos em harmonia com nós mesmos, expressando a todos que estão em volta algo que permite enxergar a energia positiva que transfere apenas em gestos que deixamos de lado, ao longo de nossa vida.

Para se ter alta *performance* na vida pessoal, temos que distribuir as nossas ações em outras áreas, que nos ajudam a identificar em qual delas temos que nos dedicar para que todas entrem em uniformidade.

### 1.1 – Família

A primeira pergunta que temos que nos fazer é para que e para quem nós vivemos?

Muitas pessoas devem refletir quais são os seus planos para o futuro, pois com a turbulência da carreira e da divisão de atividades que temos em nosso dia a dia, esquecemos de reservar sequer algum tempo para a construção de laços que nos fortalecerão em qualquer dificuldade que venha aparecer.

Reconhecer as origens, valorizando, indiferentemente do relacionamento do passado, os pais, os avós, irmãos ou familiares em geral, para que seja capaz de distinguir o técnico do humano em qualquer decisão futura.

É muito comum vermos pessoas que apenas buscam sucesso na profissão e não entendem que ao lado existem pessoas que podem segurar as mãos, para que tudo aquilo fique mais fácil ou com menos desgaste, pois juntos a engrenagem ganha força quando temos a presença da nossa família.

### 1.2 – Filhos

Tema muito interessante nos dias atuais, quando falamos de filhos, principalmente para quem almeja ser apenas profissional e se dedicar para essa área em sua vida. Entendo que tudo conquistado neste plano chegará ao fim, pois não terá ninguém para continuar o seu legado.

Os valores mudaram e nos preocupamos muito com o temos e pouco nos importamos com o quanto nos doamos, devido a querer tudo que é material, deixamos de lado o sentimental.

Estar ao lado dos filhos com uma presença genuína igual à inocência deles, aprender a lidar com mais pureza em situações desafiadoras, pois a força que dá em acreditar que nossa família é feliz não há livro que explique essa magia.

### 1.3 – Amigos

Eu seria a última pessoa a escrever sobre tempo dedicado aos amigos, pois em quase três décadas de trabalho eu percebi que amigos verdadeiros nos ajudam sem medo de arrependimento. Pouco me dediquei a eles, mas nas maiores dificuldades que enfrentei, eu pude entender que os meus pares surgiam com algo novo e, muitas vezes, o entendimento do meu pensamento me direcionava para o destino que tanto desejava.

Toda pessoa precisa de alguém ao lado para guiá-la e mostrar opções de ideias diferentes do que se teve individualmente. Não se deixe levar pelo tempo escasso, reserve um tempo para se divertir em grupo, gargalhar, jogar conversa fora e até mesmo ter conversas desconexas da sua rotina diária, pois alta *performance* é viver tudo com alegria.

### 1.4 – Saúde

A área da saúde em nossa vida pessoal é a mais importante de todas, mas sei que muitos profissionais não têm o hábito de se cuidarem, devido a se dedicarem apenas no hoje, esquecendo do amanhã.

A alta *performance* na saúde se faz quando entendemos que nosso bem-estar somará com todos os setores que nos propormos a executar na nossa vida. Entenda que não adiantará nada planejar todo o cronograma das atividades de um projeto, se nessa descrição de tarefas não constar tempo de reposição de energia, prevenção ou manutenção das máquinas, que no seu caso é o seu corpo.

As empresas pedem resultados rápidos e eficazes, mas se a mente não estiver na mesma rotação e com a mesma disposição do início, o desempenho não será o mesmo e, logo, chegará ao fracasso.

### 1.5 – Espiritualidade

Esta área é justamente a que nos dá paz interior e é nela que percebemos quem somos na alma. Aliás, muitas pessoas esquecem que possuem alma e apenas visam o lado externo. Aqui, temos a convicção de que todas as ações são resultantes de angústias que trazemos do passado, que geraram bloqueios internos que nos limitam em áreas que não prosperamos como em outras.

Ao me especializar em Hipnose Ericksoniana, percebi que as respostas estão dentro de nós, quando entendemos quem somos na integralidade. Entender o eu facilita o reconhecimento dos pontos fracos, superando todos com mais naturalidade, eliminando em definitivo tudo que venha a impedir o avanço na sua vida.

A plenitude é algo que o indivíduo precisa, e tem de buscar a paz interior em meditação, religião ou em crenças que o permitam gerar reflexões e, dessas, identificar a sua luz e excluir as sombras que o cercam.

### 2. ALTA PERFORMANCE NA VIDA PROFISSIONAL

Para se ter alta *performance* na vida profissional é muito importante responder a duas perguntas fundamentais: será que você gosta do que faz? Será que você está preparado para a sua profissão?

Muitas vezes não admitimos que fracassamos e tentamos encontrar desculpas para o tropeço que nós mesmos planejamos. Você deve estar se perguntando: como planejei o meu próprio fracasso? A resposta para a pergunta é que não houve planejamento para o objetivo, por isso o sofrimento de derrota.

Vemos muitas pessoas mudando o foco e a rota decorrente a algo que passou inesperadamente, por intermédio de uma demissão ou, por exemplo, de ter o próprio negócio. Em ambas as opções, tanto como empresário ou como funcionário, o profissional deve possuir um plano de ação de vida alternativo e eficaz que venha justificar qualquer tipo de mudança. O que vemos é que as pessoas querem coisas fáceis e não se dedicam ao máximo quando o obstáculo é maior do que o esperado.

Alta *performance* é superar os desafios, indiferentemente da complexidade.

Os profissionais da atualidade estão com todas as ferramentas à disposição e não percebem que não adiantará ter toda a ciência ou teoria, somando a prática da experiência no ramo de atividade, se não responder às duas perguntas feitas, anteriormente.

O primeiro ponto para alcançar a alta *performance* é se envolver com satisfação, é entender que estar presente na sua empresa, sendo o dono do próprio negócio ou colaborador, faz com que a direção de todos os envolvidos seja a de resultado positivo.

A resposta positiva do profissional, em afirmar que ama estar naquele lugar, é o passo inicial para a criação da sinergia de todos dentro da companhia, pois a partir do instante que abrir a porta da empresa e entrar para exercer o ofício, essa pessoa se sentirá pertencente àquele ambiente e toda a sua energia será canalizada para um destino único, diminuindo a possibilidade de qualquer sofrimento.

Se um ponto é amar ou pertencer ao ambiente profissional em que se prontificou estar no decorrer da sua vida, vem a questão que o profissional deve responder com a mesma veracidade: está apto para executar aquela atividade ou exercer a profissão? Naturalmente, as respostas são positivas, pois não admitimos a inferioridade.

No mercado de trabalho faltam pessoas qualificadas para muitos cargos em aberto e isso se deve à falta de confiança do profissional, que se esconde muitas vezes atrás do medo de encarar a realidade da ausência de alguma habilidade para uma determinada função.

### 3. Alta performance na vida acadêmica

A falta de conhecimento é um sinônimo de fraqueza de muitas pessoas, pois percebem que perderão centenas de oportunidades por terem feito escolhas equivocadas no passado. É utopia afirmar que, se pudesse planejar a história quando simplesmente nasceu, tudo seria mais fácil, por outro lado, não é.

O processo de amadurecimento é algo contínuo e desde criança, quando nossos pais, nossos primeiros gestores, nos direcionaram para as nossas atividades escolares ou até mesmo no ciclo de amizade, que forma os primeiros laços, naturalmente filhos dos amigos deles ou nossos parentes, nós evitamos adquirir o que nos é proporcionado e, consequentemente, sentiremos a falta desse expertise no futuro e, olhando para trás, concluímos que nós mesmos somos os responsáveis por todos os nossos atos e não podemos culpar ninguém, a não ser a si próprio.

Na vida acadêmica, somos os responsáveis pelas nossas escolhas, que para muitos às vezes exageramos e vamos contra os desejos dos pais, por possuirmos aptidão diferente das deles, e nossos desejos são heterogêneos.

Quando a escolha é diferente do que se existe na família, surge a desconfiança do futuro e a ansiedade toma conta, mas se a escolha for planejada com o aprimoramento continuado posteriormente, tudo resulta em um final feliz. E quando a escolha é frustrante e a pessoa tem que começar uma nova formação e, por sinal, às vezes também não é a desejada. Realmente é algo desesperador!

A alta *performance* na vida acadêmica vai ao encontro da soma da performance da vida pessoal e da vida profissional, pois entende que a continuidade das especializações se dá em um plano uniforme entre todos os setores da vida.

### Conclusão

O maior desafio do ser humano é executar suas ações com o mesmo prazer de sonhar, pois no mundo contemporâneo tudo se pode e tudo se quer, mas falta dedicação para alcançar o que realmente se precisa.

Ser o melhor de todos, em vidas ou áreas, como queira, é ter alta *performance* para quem vê de fora e você por dentro?

O sucesso é quando encostamos a cabeça no travesseiro e fechamos os olhos com a consciência tranquila, sabendo que fomos um bom filho, um bom pai, um excelente amigo, praticamos esporte ou fomos ao médico para fazer um *check-up*, refletimos sobre os nossos atos, agradecendo pelo que somos e o que possuímos, quando de repente, no âmbito profissional, chegamos e abrimos o sorriso por estarmos aptos e satisfeitos pelo emprego ou negócio que possuímos e, por fim, poder nos dedicar a ler mais um livro ou finalizar mais um projeto de pesquisa junto às instituições de ensino.

Ter alta *performance* é ser você na essência, é crer que a sua ação resulta em mudanças nas pessoas que estão a sua volta, trazendo comemorações e celebrações de conquistas em grupo e não individual.

E, para mim, Sidney Botelho, ter alta *performance* é viver cada momento da minha vida sempre com coragem e coração.

## Capítulo 30

### Gestão pessoal e alta performance

**Silvia Queiroz**

Engana-se quem pensa que profissionais de alta *performance* são aqueles com salários maiores ou os do tipo *workaholic*. É certo que pessoas produtivas conquistam mais! Porém, ter alta *performance* está muito mais relacionado ao gerenciamento da vida do que a qualquer outra coisa. Quer descobrir como? Então, me acompanhe nesta leitura.

## Silvia Queiroz

Psicóloga formada há 19 anos, possui três pós-graduações *lato sensu*, incluindo um MBA em Gestão Estratégica de Pessoas pela FGV-RS. Em 2015, concluiu seu mestrado acadêmico na renomada Faculdades EST-RS. É *coach* e analista DISC com certificação internacional pela Sociedade Latino Americana de Coaching – SLAC/SP. Como palestrante, é especializada em desenvolvimento pessoal e profissional, ajudando pessoas no aperfeiçoamento de competências e *soft skills*, no entendimento de comportamentos e na gestão de suas emoções, tanto na vida particular quanto no ambiente corporativo. Já participou de coautoria em livros acadêmicos e de autoajuda, sendo o último deles: *Coaching a hora da virada vol. III* (Literare Books, 2019). Também é Haggai Alumni, tendo participado do Haggai Leader Experience em Mauí/Havaí, em outubro de 2017. É membro do Clube de Oratória e Liderança Open POA do Toastmasters International. Além dessas atuações, ministra cursos e treinamentos. Tem por propósito incentivar pessoas através de sua vida, história e conhecimento, como um instrumento de transformação social e pessoal.

**Contatos**
http://www.silviaqueiroz.com.br
contato@silviaqueiroz.com.br
WhatsApp: (51) 98436-4859

> "A primeira pessoa que você lidera
> é a si próprio."
> John Maxwell

Durante minha vida, tive a feliz oportunidade de receber ensinamentos legados por meus pais. E isso fez toda diferença, eu tenho certeza! Dentre os inúmeros preceitos que pude receber, nunca vou esquecer um princípio ensinado por minha mãe em um momento de crise estudantil que vivi. Hoje, tantos anos depois, percebo que tal preceito lhe era extremamente comum, algo que não teria sido necessário ela me falar se eu apenas a observasse vida afora. Mas, em determinada ocasião, ela precisou me dizer em palavras e vou contar a você como recebi essa pérola de sabedoria.

Para que entendam o que aconteceu comigo, tenho que confessar que eu sempre fui uma aluna meio *nerd*, daquelas que amavam livros, encapavam cadernos e tiravam notas altas. Mas, não apenas isso, eu amava estudar. Porém, como nem tudo são flores, é óbvio que um dia poderia me decepcionar com alguma matéria. Esse dia chegou e mexeu comigo!

Eu gostava, em particular, da língua portuguesa. Acabara de conhecer a análise morfológica e havia me dado muito bem. Até que sua prima chata, a análise sintática, surgiu e desconstruiu todo o meu lindo castelinho de fantasias com a língua portuguesa. Não me pergunte o porquê, mas eu odiei a análise sintática.

Não bastasse meu desamor inicial pela matéria, certa feita, a professora resolveu passar uma daquelas tarefas de final de semana que nenhum aluno quer receber, justamente sobre a indesejada análise sintática. Momentaneamente pensei: "Vamos lá. É uma tarefa simples. Preciso descrever o estudo gramatical, mostrar a função e a ligação existente entre as palavras nas sentenças, dar exemplos e *voilà*! Meu trabalho estará concluído". Ah, se fosse apenas isso! A professora Vânia (olha que incrível, lembro o nome dela) resolveu incrementar a tarefa e disse: "Eu quero que o trabalho de vocês seja singular e mostre mais do que é fazer uma análise sintática, quero que seja criativo". Puxa vida, aquilo quebrou todo o meu esquema e estragou meu final de semana!

No auge de minha infantilidade (vamos lembrar que deveria ter uns 11 anos), cheguei em casa muito aborrecida e pensando na tarefa "chata" por fazer. Fui então, quase em lágrimas, falar com minha mãe, esperando que me acolhesse e me dissesse que mandaria um bilhete desaforado para Vânia (como se minha mãe fosse fazer algo assim). Contrariamente, ela apenas me disse: "Filha, aprenda a administrar os seus problemas. Se a professora pediu singularidade e criatividade, dê a ela isso e algo mais! Dê o seu melhor!".

Ferrou! Como assim? Não bastava ter que ser criativa para fazer um trabalho sobre algo "superchato" e ainda tinha que dar algo mais?! Você, caro leitor, pode imaginar como eu fiquei "braba" após a breve conversa com a minha mãe. Naquele momento, queria poder dizer a ela: "Até tu, Brutus?". Eu, que inocentemente achava que minha doce mãe iria tomar meu partido, fiquei boquiaberta por vê-la entrando no time do "faça algo singular" e ainda criando outro denominado "e dê algo mais do que preciso", para meu total desespero.

Porém, naquele final de semana, a despeito de meu estado emocional, aprendi algo fundamental! Aprendi que tinha que gerenciar meus problemas estudantis sozinha. Percebi que não podia depender do suposto bilhete de minha mãe para me livrar de uma tarefa indesejada. Aliás, aprendi também que não podia me vitimizar por circunstâncias exteriores. Reconheci que o importante mesmo é administrar minhas emoções e ações, montar um plano e dar o meu melhor.

Agora, já adulta e com o conhecimento da psicologia e disciplinas afins, posso conceituar a experiência que tive na infância. Naquela ocasião, provavelmente sem se dar conta do que havia feito, minha mãe me ensinou alguns princípios básicos da metodologia de gestão pessoal que criei e hoje utilizo para ajudar diversas pessoas no aperfeiçoamento de suas vidas e carreiras. A gestão pessoal, ou autogerenciamento, é um conjunto de ações bem estruturadas que consideram aspectos que não podem e não devem ser desconsiderados, quando se quer ter uma vida ou carreira de alta *performance*.

Se alguém quer ser um bom gestor de si, precisa – por exemplo – começar se conhecendo mais do que a maioria das pessoas. O autoconhecimento é um pilar fundamental da gestão pessoal. Através desse é possível a observância de fatores relevantes que interferem diariamente na forma como lidamos com nossa vida, com as pessoas a nossa volta ou mesmo com a nossa carreira. Como parte importante do autoconhecimento na gestão pessoal, trabalho com uma conceituação sobre a qual o psicólogo americano Julian Rotter discorreu em 1966 e que diz respeito ao tipo de *locus* de controle que cada um assume para si.

O *locus* de controle versa sobre o tipo de expectativa que as pessoas possuem com relação ao mundo exterior ou ao mundo interior. Para Rotter, aqueles que estabelecem *locus* de controle interno são pessoas focadas nas competências, potencialidades e características positivas que possuem, usando-as para ter excelência na vida e profissão. São aqueles responsáveis por suas conquistas e/ou fracassos. Enquanto isso, os que vivem em função do *locus* de controle externo são mais propensos a acreditar na sorte, no reforço exterior, nas palavras e ações de terceiros para motivá-los à ação. Como você pode imaginar, a importância de se colocar ênfase no *locus* de controle interno é que o nosso universo interior, aquilo que conhecemos e sabemos, é o que realmente podemos (e devemos) controlar. Todo o resto não está sujeito a nosso controle e, portanto, pode ser fonte de frustração e desespero.

No meu exemplo, eu não tinha nenhum controle sobre a decisão da professora de nos pedir um trabalho "chato" de final de semana ou sobre a decisão de minha mãe mandar ou não o tal "bilhete desaforado" para a professora. Depender desses fatores ou colocar minha confiança neles seria frustrante para mim. Mas eu tinha o poder de decidir colocar o foco em mim mesma, me engajar (ou não) e colher os resultados dessa minha decisão.

Chegando à conclusão intuitiva de que a melhor *locus* emocional e de controle é o interno, decidi fazer o que minha mãezinha havida recomendado. Como resultado, não apenas fiz um trabalho singular, como ainda fui a única aluna da turma a tirar nota 10. Coloquei o foco no que precisava ser feito, procurei me empenhar e conquistei uma vitória que, inclusive, me fez ter uma relação positiva com a análise sintática a partir dali. Uhuuu!!! Ganhei cinco estrelinhas douradas na minha imaginação e segui com a vida.

Essa vitória escolar foi fruto de minha dedicação e gerenciamento pessoal. Eu precisei enfrentar o desafio da demanda indesejada, controlar minhas emoções, buscar motivação interior, planejar bem minha tarefa e o tempo, além de executar as ações necessárias. Ou seja, assumi o protagonismo da cena existencial e agi como a personagem principal, da qual tudo dependia. A gestão pessoal favorece mesmo o protagonismo da vida na medida em que o indivíduo constrói sua jornada, escolhe seu foco proposital e o segue. Ser protagonista significa estar no controle de suas decisões e ações, sendo capaz – até – de lidar com as consequências de suas atitudes ou da falta delas.

Aliás, bons gestores de si costumam ser pessoas mais resilientes, que conseguem dar a volta por cima e recomeçar do zero, quando necessário. São pessoas que têm coragem e ousadia, sendo totalmente automotivadas. Além disso, os bons gestores pessoais são capazes de reconhecer as fraquezas e dificuldades que possuem. Às vezes, somos bons em coisas que precisamos ser muito bons. Reconhecer racionalmente esse *gap* e trabalhar para o aperfeiçoamento constante é fundamental para a alta *performance*.

Assim, gerenciar a si mesmo envolve um planejamento estratégico pessoal no qual o protagonista precisa se engajar. Todas as ações, metas, sonhos, desejos podem e devem ser pensados num planejamento de vida. Como demonstro no livro *Coaching - hora da virada III*, o *autocoaching* é uma técnica bastante útil para o planejamento pessoal estratégico, já que proporciona o refinamento das metas, planos e ações, além de favorecer o monitoramento dos resultados alcançados, ressaltando a hora de se redesenhar ou de se refazer os planos. À propósito, mudanças exigem uma capacidade de adaptação enorme, trazendo luz novamente à relevância do autoconhecimento. Pessoas que não identificam e trabalham suas emoções dificilmente terão facilidade de mudança e, assim, não alcançarão a alta *performance*. Mudar exige que abramos mão de partes de nós que, por vezes, não queremos mexer. Acontece que é preciso!

O protagonista e gestor pessoal também é uma pessoa que consegue administrar bem o seu tempo. A gestão do tempo é fundamental para a boa administração de si. Quando não se sabe lidar com o tempo, corre-se o risco de não ter tempo para absolutamente nada, nem para o importante nem para o urgente. Sem a administração do tempo, o indivíduo corre atrás dos minutos e não consegue avançar em tarefas simples, tampouco nas complexas.

O uso de agendas pessoais, cronogramas, organogramas, aplicativos, entre outros, pode facilitar muito a gestão do tempo. O mais relevante é ter clareza das tarefas que precisam ser realizadas e o estabelecimento do dia e da hora em que cada ação será implementada. Este princípio do *autocoaching* permite que tarefas sejam de fato executadas. A gestão do tempo, além de otimizar os resultados alcançados, levando as pessoas para uma vida de alta *performance*, também pode ser coadjuvante essencial na administração das emoções, evitando ansiedades, preocupações e frustração.

Há uma frase atribuída a Marcus Ronsoni que diz: *"Performance é o resultado da sua capacidade, menos as interferências de suas emoções"*. E é exatamente isso. Pessoas que não se conhecem, não se avaliam e, portanto, não atingem alta *performance*. O que minha mãe, uma dona de casa de "alta *performance*", me ensinou quando eu era criança foi que temos que ser diligentes e que precisamos deixar as emoções bloqueadoras – como o medo – de lado para poder alcançar resultados surpreendentes.

Ao longo de minha prática profissional, recebi diversas pessoas com dificuldades de gestão pessoal. São os que chamo de "perâmbulos", termo que cunhei para denominar aqueles que vivem um dia de cada vez, sem planos, sem metas, porém com muitos sonhos (não realizados), desejando tudo e, obviamente, não conquistando nada. Vivem uma vida cheia de frustrações e crises de vitimismo. Na maioria das vezes, são pessoas com o *locus* de controle externo, que acreditam que a vida, a família, o chefe e os amigos farão por eles o que deveriam fazer por si mesmos. Geralmente são pessoas pesadas, difíceis e que têm muita dificuldade nos inter-relacionamentos. Os "perâmbulos", diferentemente dos protagonistas, raramente alcançam grandes resultados ou atingem a alta *performance*.

Esse olhar para dentro, para as competências que se têm, e a organização de tudo que somos e temos, enquanto atributos pessoais, em prol de uma conquista tão desejada, é ter alta *performance*. Minha experiência da infância, a despeito de minha idade na época, mudou minha mente. Eu entendi na prática a relevância da dedicação, da organização, da administração pessoal e emocional e de se olhar para o mundo interior e buscar respostas quando se pensa que elas nem mesmo existem. A partir dali, passei a administrar minha vida de forma diferente. Mesmo que tacitamente e muito por influência de meus pais, tornei-me – acredito eu – uma boa gestora de mim. E hoje sou especialista no assunto, quem diria, não?

Você quer viver uma vida extraordinária, desenhada por você e com grandes conquistas? Quer ser um protagonista e não um "perâmbulo"? Então viva com foco na gestão pessoal e alcançará a alta *performance*. Foque naquilo que você pode controlar, ou seja, no *locus* interno de controle. Seja "o" administrador de si mesmo e o seja com propósito, de modo que você viva com protagonismo, não sendo um "perâmbulo". Seja resiliente. Tente, e depois tente mais outra vez. Tente até conseguir, com coragem e ousadia! Aperfeiçoe-se todos os dias. Não tenha medo de olhar suas fraquezas, pois elas têm muito o que ensinar a você. Tenha metas e objetivos claros e bem estruturados. Afinal, como já dizia Sêneca, "nenhum vento será favorável para o barco que não sabe seu porto destino". Mas também monitore e analise os resultados alcançados. E, se for preciso, mude! Mude seus planos que não deram certo ou apenas mude você mesmo, mas mude. Gerencie seu tempo. Você é o dono de suas horas e não o contrário. Se você quer ser protagonista, precisa ter tempo não apenas para a alta *performance* profissional, mas para a excelência em todas as áreas de sua vida. Vá à luta, se procure e se encontre. Principalmente, seja um excelente gestor de si. Conte comigo e até a próxima!

## Capítulo 31

**Se nada mudou, mude você!**

Simone Cruz

Neste capítulo, compartilho um pouco sobre minha experiência profissional. Exploro as diversas situações do dia a dia, comunicação entre o gestor e equipe.

## Simone Cruz

Gestora nas áreas de saúde, mentora, consultora, palestrante e escritora. Já realizei a implantação de diversos setores na área de saúde, realizando a estruturação desde a construção física até o fluxo dos processos, rotinas e gestão de pessoas. Experiência de dez anos na área assistencial, trabalhando como enfermeira, coordenadora e gerente na área da enfermagem, e 15 anos na área administrativa como gestora de custos e protocolos, qualidade e gerente administrativa. Certificada pela Unifesp, Fundação Getulio Vargas e Fundação Dom Cabral. Especialista em Controle de Infecção Hospitalar, Gestão Hospitalar e Docência. Realizo levantamento das necessidades da unidade, baseada em evidências e literatura, elaboração do processo de prestação de serviços de acordo com o perfil das unidades, recursos humanos e financeiros.

**Contato**
enf_simone@hotmail.com

## A realidade do gestor

Ser um bom gestor não é ser bonzinho, é ser bom!
É normal as pessoas acharem que o bom chefe atende aos desejos de sua equipe.
Chefe não é Papai Noel. Chefe cuida dos interesses da empresa e também de sua equipe, mas de forma adequada e justa.

Normalmente, o "não" gera desconforto e até mudança de empresa para algumas pessoas. Há pessoas que não conseguem se encontrar na vida profissional, porque estão em busca apenas de seus interesses pessoais, vivem numa busca constante sem mesmo saber o que estão procurando. Por isso é tão importante procurar a profissão certa. Fazer o que gosta traz satisfação e realização pessoal. Não se mede esforços para realizar um projeto, um plantão, uma nova etapa, um novo projeto, um novo desafio; seja lá qual for o desafio, você sempre estará disposto a alcançar a meta da empresa quando você estiver satisfeito consigo mesmo. A felicidade não está relacionada em estar feliz todo dia, mas no prazer da conquista de cada dia.

O gestor que participa das intenções da empresa e de sua equipe consegue encontrar um equilíbrio de modo a buscar em suas lideranças o que há de melhor em cada um. Não é fácil, mas é muito importante reconhecer os talentos, destacá-los e colocá-los no lugar certo. As pessoas não podem ser tratadas como um grupo de produção (a menos que o grupo já tenha sido identificado como de produtores); devem ser observadas individualmente e destacadas nos seus talentos. Essa identificação colabora para o bom andamento da empresa e do próprio indivíduo, que não estará se frustrando por achar que não é produtivo ou não está fazendo a atividade que gostaria.

Uma equipe saudável (profissionalmente) não mede esforços para fazer dar certo a proposta apresentada.

Embora quase todos achem que o salário é o que mais seduz o funcionário, não é o que eles acham. No dia a dia, a troca de relações saudáveis, o reconhecimento, a troca de ensinamentos e as correções aproxima o gestor de sua equipe e fideliza suas ações na empresa.

O reconhecimento não vem apenas na forma financeira, outros tipos de gratificações ou premiações podem e devem ser bem recebidas.

O gestor tem obrigação de formar líderes. Os líderes devem dar continuidade aos processos de implantação.

**Inteligência emocional**

Saber ouvir é sábio.

Ouvir e não falar é mais sábio ainda.

Já ouviram alguém dizer: "Tudo tem seu tempo!"? Pois é, na vida profissional, é muito importante falar na hora certa.

A maturidade profissional nos permite aceitar as críticas (sejam certas ou erradas), que vão servir para melhorar a qualidade do nosso desempenho.

O gestor que trabalha com o processo de avaliação contínua permite ser avaliado e avalia ao mesmo tempo. Essa ferramenta constrói novos processos e traz crescimento para a equipe e para empresa. Dessa forma, o profissional se coloca numa posição de autocontrole e busca continuamente melhorias para sua área. Todos sabem que quando chegar a hora da avaliação haverá uma troca de elogios, críticas e uma oportunidade de mudança ou acréscimo para sua unidade. Pode também não acontecer nada, e nesse momento o gestor saberá que o profissional pode estar na atividade errada.

A procura de talentos inicia-se pela busca de profissionais no mercado, mas não pode se encerrar nessa etapa. Despertar o talento do profissional é uma busca contínua, e alguma vezes você descobre que o profissional não tem o menor interesse de crescimento e se contenta em apenas ser um robô produtivo. Antes de querer mudar alguém, pergunte a ele se está disposto a fazer a mudança. Não tem nada demais nisso, desde que você não se frustre com a escolha do outro. Respeitar as limitações e as escolhas faz parte desse processo, e não permitir que isso o culpe enquanto gestor o deixará dar continuidade com o restante da equipe; vale a pena repetir que o profissional deve ser tratado como único, só assim gestor e equipe conseguirão continuar caminhando juntos.

## Processo de qualidade

> "Nada em mim foi covarde, nem mesmo as desistências: desistir, ainda que não pareça, foi meu grande gesto de coragem."
> **Caio Fernando Abreu**

Recomece quantas vezes for necessário.

Sempre que se houve falar em implantação do processo de qualidade, o corporativo "chora", resiste, pensa em desistir do que ainda não começou.

Após a implantação de alguns processos, percebi que é da natureza humana não sair da zona de conforto. A resistência em passar as informações e escrever suas rotinas faz o profissional pensar que está vulnerável e que pode perder seu lugar ocupado. A falta de processos bem implantados e definidos faz com que o profissional tenha liberdade de tomar decisões de acordo com o que acha que vai dar certo.

Antes de qualquer mudança, a equipe deverá ser esclarecida sobre a importância, o objetivo da empresa (planejamento estratégico). Envolver, orientar e ouvir a equipe já é um bom começo para iniciar a implantação do processo de qualidade.

Por outro lado, após implantar ferramentas de controle, fluxos, indicadores e processos descritos, o mesmo corporativo não volta atrás e não consegue mais trabalhar sem processos definidos.

Realizar a implantação de um projeto aprovado não quer dizer que vai dar certo. Às vezes, passamos dias, meses elaborando um projeto que morre na implantação. É preciso ter sabedoria para reconhecer que a elaboração é contínua e que não há problema começar tudo de novo.

O processo de gestão é contínuo, a revisão de processos também. Ao decorrer do tempo as informações mudam, as pessoas mudam; sendo assim, as ferramentas de qualidade também devem ser modificadas para acompanhar o andamento da unidade. O que não pode acontecer é a mudança de foco.

Sem gestão de processos, não é possível obter resultados definidos para tomadas de decisão, apresentar resultados baseados em evidências traz à empresa confiança.

Não ter selo de qualidade não significa que sua gestão não tenha processo de qualidade. Se você implantou as ferramentas necessárias para atendimento de qualidade, seus fluxos estão bem definidos e seus indicadores servem para tomar decisão, você pode levantar a bandeira e dizer que não tem selo de qualidade, mas tem processo de qualidade implantado.

(Para algumas empresas é obrigatória a aquisição do selo de qualidade para articular vendas/compras).

### O potencial de cada um!

Geralmente achamos que a grama do vizinho é mais verdinha que a nossa.

Estamos sempre em busca de novos conceitos, novas ferramentas de trabalho, como organizar...

É preciso se escutar.

Você vai descobrir que a solução está na sua capacidade de fazer acontecer.

Com tantas ferramentas de gestão disponíveis no mercado, é comum buscarmos novos cursos e teorias para trazer para dentro da empresa.

Nem sempre a empresa está precisando de novos recursos, mas, sim, de ajustes que só o gestor sabe como fazer.

Quando montamos um Plano de Ação (ferramenta 5W3H), no mínimo 95% dos recursos são humanos. Isso mostra o quanto é importante o alinhamento da gestão com a empresa.

Estar alinhado com a equipe é a melhor ferramenta que o gestor pode ter.

O sucesso de uma unidade nunca será igual ao de outra, por isso vale a experiência de conhecer campos diferentes do seu, mas nunca será possível ser igual ao outro, seu conhecimento é que vai fazer a diferença na sua unidade.

A grama que está verdinha no jardim do seu vizinho pode não servir para o seu.

Acreditar em suas ideias, colocar em prática o que aprendeu e consertar o que deu errado fazem parte da sua experiência. Acredite nela!

### A dificuldade de saber que é prestador

> "Viver como todo mundo e ser como ninguém."
> **Simone De Beauvoir**

Prestar serviços não é um ato de caridade.

Em geral, as pessoas realizam prestação de serviços gratuitamente, até sem perceber. São exploradas e permitem que isso aconteça porque é só um favorzinho.

Valorizar-se o torna mais profissional!

O compromisso de ser profissional mostrará para o mercado a boa qualidade da prestação do seu serviço.

Comece hoje a apresentar suas habilidades de modo formal e aguarde a resposta.

Você não é igual a todo mundo!

### A pior competição é aquela que traçamos conosco

Aceitar as limitações, permitir os ajustes, dar-se a oportunidade de recomeçar... a revisão de processos é constante. Sempre alguém se pergunta: "Porque nunca pensei nisso antes?". A maturidade profissional nos permite ir e voltar sempre que necessário.

Não tenham medo de encerrar um projeto ou recomeçar o mesmo, ou mudá-lo.

Tenham medo de não ter produzido!

### Respeite o espaço de cada um

> "Antes de curar alguém, pergunte se ele está disposto a desistir das coisas que o fizeram adoecer."
> **Hipócrates**

Em geral, os líderes estão sempre dispostos a salvar um membro de sua equipe, e é essa mesmo a função do líder, motivar, incentivar, desenvolver o trabalho em equipe.

Mas, assim como o líder reconhece no outro o talento que ele tem, precisamos nos atentar para os que não querem sair da mesmice. Isso não quer dizer que esse profissional não serve para a sua equipe, significa que talvez ele sirva apenas para o que está fazendo naquele momento.

Se na sua equipe tem acontecido de você preparar um profissional e logo ele vai embora (seja por mudança de setor ou empresa), significa que esse é o caminho.

Você está capacitando e desenvolvendo habilidades profissionais na sua equipe.

Respeitar os limites dos outros é importante para o desenvolvimento do trabalho em equipe.

Uma equipe com perfis diferentes trará para a empresa diversas ideias que você não alcançaria se todos tivessem o mesmo raciocínio.

Descobrir e desenvolver as habilidades individuais é um processo lento e contínuo!

### Faça o seu tempo

Na literatura, encontramos diversas teorias que falam a respeito do tempo que o gestor deve permanecer na empresa. Alguns defendem 5 anos, outros mais, outros menos.

Eu digo que você é o dono do tempo. Enquanto você estiver sendo produtivo, sentir-se útil e fazer a diferença na empresa é o que vai determinar o seu tempo de empresa.

Ter sabedoria para mudar, seja por convites externos ou por insatisfação pessoal, trará para você experiências de diversas formas.

Estar há dez anos em uma mesma empresa e achar que o tempo é o motivo para fazê-lo mudar não é uma teoria muito justa para quem ainda está com uma porção de projetos para a sua gestão.

Não podemos deixar que a moda dite as regras.

Quebre regras, conquiste, faça a sua carreira!

### Planeje-se

Ser organizado não é uma regra, mas ajuda você a chegar aos resultados com mais facilidade.

É comum nos perguntarmos como o colega consegue ler tantos livros, ir ao cinema, passear com a família... enfim, fazer tantas atividades?

A resposta é organização, planejamento.

Normalmente, na vida profissional é mais fácil lidar com regras porque temos metas. Mas é importante não deixar a vida pessoal de lado, não podemos resumir o lado pessoal em descansar porque trabalhamos muito. Sentir-se bem (e eu não quero dizer descansado) é nos livrar das frustrações, do "por que eu não fiz, deveria ter tentado".

Seja para a vida profissional ou pessoal, se não traçarmos objetivos com datas de começo, meio e fim, não chegaremos a lugar nenhum.

Eu vejo muitas pessoas falando sobre sonhos, sobre viagens impossíveis; então, eu pergunto: o que você está fazendo pelo seu sonho?

## Ter uma referência espiritual ajuda em sua caminhada

Como cristã que sou, peço licença para falar sobre um capítulo da Bíblia.

> "Assim resplandeça a vossa luz diante dos homens, para que vejam as vossas boas obras e glorifiquem o vosso pai, que está nos céus."
> **Mateus 5:16**

Esta frase me faz questionar: por que as pessoas têm tanta dificuldade em desenvolver suas habilidades?

Quando perguntamos para uma criança: "O que você quer ser quando crescer?".

Elas sempre vão responder: "Uma princesa, um super-herói, médico, escritor...". As crianças que ainda não foram influenciadas pela sociedade pensam no que há de melhor no mundo delas, elas pensam em grandes coisas, em brilhar, e se destacar.

Então por que quando amadurecemos isso se apaga?

Não permita. Não deixe que as habilidades que estão dentro de você se apaguem ou sejam frustradas. Você tem que acreditar que o seu projeto vai dar certo, que a sua família foi uma escolha certa, que o seu emprego é o melhor.

Não é possível que não tenhamos um dia de aflição, mas o que vamos fazer com esse problema é o que nos tornará melhor, pior ou igual.

Fazer escolhas é difícil, mas Mateus 5:16 diz que já temos a luz resplandecente e estamos capacitados para a boa obra.

Acredite!

## Capítulo 32

**O autoconhecimento e o perfil do profissional de alta performance**

Valderez Loiola

Nos últimos anos, vivemos em um mundo dinâmico, instável e numa velocidade de evolução inacreditável. A era exponencial... Nesse contexto, ouvimos o tempo todo sobre a importância de adaptação, flexibilidade, qualificação e agilidade de aprendizado num mercado competitivo e incerto.

## Valderez Loiola

*Coach*, educadora, empreendedora e palestrante. Criadora do Método S.E.R, aplicável às pessoas e aos negócios. Coautora do *best-seller Mapeamento comportamental*, ed. Literare Books, 2019. Por meio do autoconhecimento, congrega técnicas para impulsionar e inspirar pessoas. *Coach* do programa Transformação humana – pessoas e negócios, que proporciona um *mindset* de crescimento com o auxílio de metodologias ativas em serviços corporativos e atendimentos individuais. Como educadora, tem grande paixão por apoiar instituições de ensino na busca por inovações pedagógicas. Na área social, é ativista em várias frentes, como a do Mosaico do Bem, grupo de voluntários que se unem para apoiar as pequenas instituições que fazem o bem. Coordenadora do Mulheres de Negócios, grupo que está em expansão e tem por finalidade contribuir para o desenvolvimento do empreendedorismo feminino, apoiando e qualificando mulheres para o mundo dos negócios.

**Contatos**
Instagram: @valderezloiola
Facebook: Valderez Loiola - Transformação Humana

Fazendo um comparativo de dez anos atrás com os últimos cinco anos, iremos observar que as empresas estão investindo muito mais em capacitação das pessoas. Sabemos que isso está totalmente ligado ao momento do mercado, e um dos desafios da empresa está em desenvolver a sua equipe de líderes.

Em revistas, jornais, redes sociais, grupos de trabalho e nas próprias empresas ouvimos muito da necessidade de capacitar líderes. Ou, ainda, sobre a procura no mercado de trabalho por líderes que inspirem pessoas. Quando entramos nesse item e analisamos o todo, verificamos que outra dificuldade que as empresas percebem é o baixo retorno desse investimento. Ou seja, há casos em que a empresa faz alto investimento num programa de desenvolvimento, e o retorno disso é pequeno. E é exatamente nesse ponto que quero tocar: por que há programas de desenvolvimento de líderes que não causam grandes mudanças? Qual o melhor modelo para se trabalhar nas organizações? Claro que não existe "receita de bolo", bem como os resultados dependem de vários fatores, mas quero levantar um ponto de atenção. Nos dias de hoje, já se fala muito sobre a importância do autoconhecimento, que é o conhecimento de si. E é esse tema que abordarei neste artigo: a importância do autoconhecimento para os líderes que podem auxiliá-los na gestão de pessoas dentro das organizações. O objetivo geral deste artigo é verificar a importância do autoconhecimento para o exercício da liderança nas organizações. Os objetivos específicos são: (a) identificar se e como o autoconhecimento permite ao líder melhorar o seu comportamento e desempenho; (b) apresentar uma proposta de programa de desenvolvimento.

O olhar do mundo corporativo tem sido o norte para muitas mudanças nos perfis de profissionais nos últimos tempos, sobretudo na última década. Observar além do currículo do profissional passou a fazer parte do cotidiano nos processos seletivos.

Em virtude dessa nova perspectiva, os profissionais precisaram se readequar, investir em autodesenvolvimento, adquirir ou aprimorar habilidades não técnicas, mergulhar no autoconhecimento e alicerçar suas bases emocionais, engajar-se na melhoria contínua de si mesmo.

Esse movimento só fez bem para todo o mercado, onde todos saem ganhando: as empresas, os profissionais e todo o entorno dessas estruturas. À medida que melhoramos, tudo melhora, e isso é benéfico para todos.

Na complexidade das relações corporativas e interpessoais, o autoconhecimento está além de uma ferramenta de sobrevivência, eu diria que é a única solução possível para que haja saúde integral em todo o ecossistema, seja na esfera pessoal ou profissional de seus atores. Muito se sabe dos resultados extraordinários de profissionais bem-sucedidos, mas pouco se fala do processo de aquisição das competências, habilidades, atitudes e visão estratégica para alcançar esses resultados. Esse caminho é percorrido com muita renúncia, muito foco e desejo de acertar. Os sacrifícios de investimento realizados para obtenção desses resultados são pouco valorizados no cotidiano, justamente porque valorizamos o ponto de chegada e não a trajetória. Eu penso que é no caminho que se forma o caminhante. Portanto, impossível negar as transformações vividas nas trajetórias de nossas vidas. Elas falam muito de nós.

O conceito C.H.A.V.E. equivale a: competência, habilidade, atitude e visão estratégica. Ser competente naquilo que faz é uma exigência natural para qualquer função dentro de uma empresa, aperfeiçoar as habilidades para realizar uma melhor entrega é um movimento pessoal de profissionais que têm clareza de propósito, além de ser uma atitude muito assertiva que, aliada a uma visão estratégica, leva a um próximo nível. Os profissionais de alta *performance* precisam executar o conceito C.H.A.V.E. em sua vida. A fim de conseguir escalar com maestria uma trajetória de sucesso, uma construção exitosa de uma vida profissional de sucesso. É necessário compreender que todo resultado extraordinário é fruto de muito investimento em capacitação e autoanálise, autorregulação e, sobretudo, autoaperfeiçoamento.

O perfil do profissional de alta performance é fundamentalmente sustentado pelo tripé: autoconhecimento - autogestão – autorregulação.

O autoconhecimento é o portal que nos conduz a inteligência emocional, é sermos capazes de perceber e reconhecer um sentimento enquanto ele ocorre, e saber utilizar as preferências que guiam nossa tomada de decisão. É saber fazer uma avaliação realista de nossas habilidades, fragilidades e pontos fortes. É possuir autoconfiança e reconhecer a intuição. A falta de habilidade de reconhecer sentimentos próprios deixa-nos à mercê de nossas emoções e impulsos. Quando essa habilidade está presente, temos melhor domínio de nossa vida.

A autogestão consiste em dirigir emoções a serviço de um objetivo, a partir das preferências pessoais mais profundas. É uma habilidade essencial para uma pessoa manter-se determinada a alcançar suas metas, ter iniciativa, ficar sempre no controle da situação e usar a criatividade na busca de soluções. Pessoas com essa habilidade tendem a ser mais produtivas e eficazes, qualquer que seja o seu empreendimento. A autogestão é característica marcante dos grandes líderes.

A autorregulação é a habilidade de lidar com os sentimentos próprios, adequando-os à situação. Inclui o autocontrole, a superação das frustrações, a capacidade de adiar a satisfação objetivando alcançar uma meta, a recuperação das aflições emocionais. Pessoas pobres nessa habilidade têm dificuldade de se recuperar de aflições e afundam frequentemente em sentimentos de incerteza. As pessoas que possuem melhor controle emocional tendem a recuperar-se mais rapidamente dos reveses e dificuldades da vida.

Um líder inspira, movimenta sua equipe a ser e fazer o melhor sempre. E isso não é nada fácil, haja vista que uma equipe é composta por várias pessoas diferentes e que vivem momentos e situações distintas, sem falar das bases de formação e valores, princípios que cada um traz consigo. Quando falamos de alta *performance*, pensamos automaticamente em grandes cargos, excelentes salários e associamos isso tudo ao momento de vida do indivíduo. Mas nem sempre isso quer dizer que o cenário é exatamente assim. É preciso salientar que a alta *performance* é um posicionamento profissional que independe da posição social, retorno financeiro, hierarquia e nível acadêmico.

Um profissional operacional, em qualquer que seja a função desenvolvida numa organização, pode assumir a responsabilidade e desenvolver estrategicamente, agindo com empenho e gerando ações de alta *performance*. Ele pode ser, por exemplo: um zelador, um porteiro, um vendedor, uma secretária, um gestor, um prestador de serviços, uma doméstica, enfim, independe da função...a entrega precisa ser a melhor e isso tem obrigatoriamente o destacar dos demais. Ser diferente num universo homogêneo é o grande desafio do profissional contemporâneo. Justamente porque o elementar é escopo da função. Entregar além é o diferencial.

O que fica explícito nessa questão é que tudo nasce do *mindset* da pessoa. A mentalidade aliada a suas atitudes determina o perfil do profissional como sendo um profissional comum ou um profissional de alta *performance*.

Quanto mais o tempo passa, mais as exigências se multiplicam. Estamos vivendo numa era exponencial, as necessidades são mutáveis e têm uma brevidade alarmante. O profissional precisa se conectar e permitir contribuir para o crescimento e melhoria do ecossistema em que ele está inserido.

O mergulho em si exige clareza no propósito, embora seja comum achar que conhecer a si mesmo seja algo fácil. Em regra geral, o autoconhecimento é complexo, porque muitas vezes as pessoas têm impressões sobre si mesmo e não uma visão da realidade que de fato são. A pessoa, quando inicia uma trajetória de conhecer a si mesmo, certamente vai se deparar com uma série de situações/problemas que exigirá um foco e uma determinação acima da média.

Por outro lado, o autoconhecimento não envolve apenas reconhecer os próprios defeitos, erros e fraquezas, mas também saber enxergar em si mesmo o que há de bom, o que pode ser potencializado e filtrar as melhores características. Ter a consciência do que é bom pode ser um fator decisivo para evoluir ainda mais seus pontos fortes e chegar mais longe nas trajetórias pessoal e profissional.

Muita gente deseja atingir um nível de desempenho profissional e pessoal muito acima da média das pessoas consideradas "comuns". Isso é legítimo e necessário, se a pessoa quiser atingir resultados exemplares e irradiar influência luminosa nos ambientes que frequenta. É imprescindível a busca pelo autoconhecimento.

Não importa a área em que você atua na carreira. Ter uma alta *performance* significa extrair o máximo de si, no menor tempo, com o mínimo de esforço possível. E, para que isso possa acontecer, é necessário alinhar corretamente suas características para fazer os esforços na profissão terem valor e significado.

Nesse sentido, o autoconhecimento tem valor indispensável. Ao conhecer a si mesmo, o indivíduo percebe o que há de ruim, bem como o que há de bom. O que é ruim, ele tenta melhorar, suprimir ou modificar em prol de um bom desempenho. O que é melhor, ele tenta aprimorar ainda mais a fim de obter um crescimento maior em sua *performance*. O que é mediano ou razoável também pode ser aprimorado para se obter uma ampla evolução em sua atuação profissional. Por isso, olhar para dentro de si de forma crítica, honesta e sincera é muito importante para se alcançar um verdadeiro autoconhecimento.

Para atingir esse nível exemplar é preciso, antes de qualquer coisa, definir os objetivos que quer conseguir. Isso exige conhecimento de si próprio em profundidade, ou seja, é necessário avaliar o potencial competitivo e identificar vantagens e desvantagens, que dispõe e tem que superar, para atingir os resultados almejados.

Isso só é possível se o indivíduo conseguir avaliar bem as condições externas, que estão nos ambientes onde terá que atuar para atingir os resultados desejados. Muitas variáveis interferem nas dinâmicas dos ambientes onde a pessoa atua, e nem sempre se tem controle sobre as mais decisivas. Muito menos sobre as que, eventualmente, assumem importância imprevista e interferem nos resultados, impedindo o atingimento dos objetivos.

Atualmente, a competição pelo sucesso torna-se cada vez mais complexa e de difícil consecução, considerando que fazer sucesso não é somente fazer dinheiro, mas também realizar projetos relevantes para si próprio e para os setores da sociedade que podem se beneficiar das ações do indivíduo.

É importante entender que todo ser humano é composto por razão e emoção, e esses são construídos desde seu nascimento, através das experiências que passamos ao longo da vida. A cada situação vivida, podemos ter relação com uma emoção. O conjunto dessas emoções é o que chamamos de sentimentos. Identificar esses sentimentos – quais são positivos, os que são prejudiciais, para modificar aqueles prejudiciais – compõe o processo de autoconhecimento. Gerando no profissional um processo poderoso que é chamado de *Flow* que certamente o colocará no lugar de profissional de alta *performance*.

## Capítulo 33

### Reflexão do empreendedorismo: você com você mesmo na sua essência

Valéria Mido Baierle

Falar de empreendedorismo é falar de amor, paixão, brilho no olho, saliva na boca, coração batendo, vento na cara, frio na barriga e coragem. Sim, coragem. Coragem para ir atrás de um sonho que alimenta muitos outros.

## Valéria Mido Baierle

Empreendedora, Vice-coordenadora do Núcleo da Mulher Empreendedora da ACISAP, Segunda Vice-Presidente da Associação de Comércio, Indústria e Serviços de Santo Antônio da Patrulha – ACISAP. Consultora do Empreender, Substituta da Tabeliã da Comarca de Santo Antônio da Patrulha/RS. Palestrante, *Master Practitioner* pelo IBN – Instituto Brasileiro de Neurolinguística, *Coach* Executiva, *Master Coach*, Membro da Sociedade Latino Americana de Coach - SLAC. Analista Comportamental pela HR Tools, Pós-graduada em Gestão pela FGV, Técnica em Transações Imobiliárias, Bacharel em Direito pela Ulbra.

**Contatos**
www.valeriamidobaierle.com.br
valbaier@terra.com.br
Facebook: @valeriabaierle
Instagram: valeriamidobaierle
+55 (51) 99992-7443

## Valéria Mido Baierle

Sonhar em terras brasileiras é lembrar do Ayrton Senna empunhando a bandeira do Brasil diante de uma vitória. É despertar um pouco do herói que há dentro de você. É antes de qualquer coisa conhecer a si mesmo, saber quem você é, quais são os seus anseios, o que o move, o que faz você pular da cama.

É viver a epopeia da vida com maestria e estar em constante descoberta, realinhando as estratégias. Estar na evolução do ser. Saber para onde vai, quando e como, fazendo e refazendo o mesmo caminho várias vezes em busca da perfeição.

Na verdade, empreender anda de mãos dadas com planejamento, estruturação, construção, revisão e atenção.

Quando, desde o princípio, tudo pulsa nas veias da imaginação e damos asas, deixando simplesmente voar na tenra idade dos 10 anos, o empreendedorismo aflorava em mim na ânsia do quer "fazer". Na época eram bijuterias que, de conta em conta, de miçanga em miçanga, elas se somavam aos fios e construíam o início do que ainda não tinha nem um rabisco de projeto, a criação apenas acontecia.

Com o tempo, as descobertas acabam surgindo de forma aleatória até que, em algum momento, as perguntas incessantes do ser batem à porta, gritando dessa vez mais alto, e entram sem pedir licença, causando uma grande explosão de conflitos internos no que aparentemente era estável e equilibrado.

Por vezes, a desestruturação é necessária para que possa surgir uma reestruturação. Desconstituir o ser para reconstituir com suas histórias e aprendizados, agora ordenados, que até há pouco existiam de forma desordenada.

Importante ser grato às nossas origens, fazendo parte da reflexão da evolução. Entender de onde viemos. Rever as páginas do grande livro da vida justamente olhando para nossa história como um aprendizado.

Desde muito pequena, sempre fiz um esforço muito grande para conquistar o meu espaço. Vir ao mundo em tempos machistas e, ao mesmo tempo, gritar alto e em bom tom que sou mulher e que justamente por isso tenho direitos, e mais: o dever de ocupar o meu espaço no aqui e agora! Nem sempre foi fácil.

O que me fez e ainda me faz diferente é a atitude de não ficar compassiva e não aceitar o que simplesmente a vida tem para me oferecer, mas, sim, buscar tudo o que de melhor ela tem para mim.

Saber que tenho escolhas faz toda a diferença. Eu poderia simplesmente seguir o curso e viver medianamente no senso comum ou "fazer" a minha própria história. Escolhi a última opção.

Nem sempre isso foi claro. Por muito tempo andei à deriva, náufraga em mim mesma. Aliás, como a grande maioria fica, perdida em si ou de si. A minha inquietação e os muitos porquês sobre a vida por um longo tempo foram constantes. E que bom! Pois foi justamente por isso que pude me descobrir. Vim de origens cultas e sou grata aos meus ancestrais (meus pais), pois me proporcionaram ser ainda mais quem sou.

Sempre quis ser reconhecida por mim mesma, com qualidades e defeitos, e recentemente compreendi que só poderia ter o direito ao reconhecimento se antes eu mesma reconhecesse o meu ser, recheado de toda a história advinda até aqui. Gratidão a todos que de alguma forma um dia cruzaram o meu caminho. Hoje posso dizer, sem a menor sombra de dúvida, que sou o somatório de tudo o que aprendi de bom e a subtração de instantes reais não tão bons assim. Esse reconhecimento se dá porque penso que negar as minhas origens, mesmo inconscientemente, pode me fazer inimiga de mim mesma.

Autoconhecimento é como despertar para a vida. Dona de uma personalidade forte de quem tinha que conquistar seu próprio espaço na vida e mostrar a que veio, acirrei comigo mesma o meu mais alto grau de exigência em relação à excelência. Por longos anos fui minha própria algoz (inconsciente, é claro). No entanto, essa situação fazia parte da minha evolução humana.

Os meus desafios profissionais sempre vinham travados entre batalhas, até o dia em que a vida me sacudiu e a mão do todo poderoso Deus Pai bateu à minha porta. Esse foi o momento de parar, zerar a contagem da passagem dos dias no calendário da vida.

Afinal, qual era o meu legado? O que eu queria que falassem de mim quando eu me fosse? Duas coisas eu sabia. Uma que até aquele momento eu não estava nesta existência a passeio. A outra foi saber que era chegada a hora de fazer a minha própria história e ser eu a grande protagonista da minha vida.

A estas alturas, você deve estar se questionando o que tudo isso tem a ver com o empreendedorismo? Eu respondo: tudo. Só com o conhecimento, sabendo quais são nossas forças e fraquezas, é que podemos ser empreendedores de nós mesmos. Protagonizando nossas próprias vidas, fazendo nossas próprias histórias.

Conhecendo-me descobri: o que eu queria eram pessoas e suas relações humanas.

Meu conselho: busca a ti mesmo, identifica-te para só depois identificar o teu empreender.

## Capítulo 34

## Mulheres de alta performance

**Valicir Melchiors Trebien**

O mundo do trabalho tem passado por grandes mudanças, como a expressiva inserção feminina, vencendo influências culturais que perpassam séculos. As mulheres agregaram à sua trajetória maior conhecimento e escolaridade, assumindo posições diferenciadas. Posições diferenciadas possibilitam às mulheres maior independência, reconhecimento e fonte de inspiração a outras mulheres.

## Valicir Melchiors Trebien

Psicóloga e *coach*, com mestrado em Ciências da Saúde, especializações em Gestão Empresarial, Coordenação de Grupos, Gestão de Pessoas, Socioterapia e Biopsicologia. Experiência de 25 anos em processos de gestão de pessoas e coordenação de equipes em empresas multinacionais de grande porte. Atuou como gerente corporativa na Cargill, gerente nacional de desenvolvimento organizacional da Keystone Foods, gerente de RH na Seara Alimentos. Forte atuação em Gestão de Responsabilidade Social, em auditorias éticas para clientes globais como McDonald's, Tesco, Cargill, Nestlé, entre outros. Atuação em mentoria de desenvolvimento de liderança e alavancagem de equipes de alta *performance*. Forte vivência em sistemas de RH, como T&D, R&S, retenção de talentos, avaliação de desempenho, cargos e salários, clima organizacional e rotinas trabalhistas. Consultora em processos de gestão, sucessão e desenvolvimento organizacional.

**Contatos**
www.mwmgestao.com.br
valicir@yahoo.com.br
Facebook: Valicir Melchiors Trebien
Facebook: @CoachingValicir
(49) 98504-6530

Ao longo de séculos, o trabalho das mulheres foi considerado secundário e apenas para valor de uso doméstico, que, embora fosse absolutamente necessário para a sobrevivência dos indivíduos, da família e da sociedade, era considerado de menor valor. A mulher era reduzida ao âmbito doméstico e aos trabalhos leves como uma aparente proteção e, por consequência, na maioria das vezes não ocupava um lugar valorizado dentro da família e na sociedade.

No século XIX, a sociedade tinha como convenção que a mulher não precisava trabalhar fora do ambiente familiar e que o homem era o provedor do sustento do lar. Mesmo as mulheres, que tinham alguma instrução, passaram a ser convencidas de que não era possível serem felizes e, ao mesmo tempo, ambiciosas, e apesar de terem noção de sua independência pessoal, buscavam cumprir o papel social aceitável da época, que era de companheira, boa dona de casa e boa mãe de família. A felicidade da mulher, tal como era então entendida, incluía necessariamente o casamento, e por esse meio é que se consolidava a posição social e a garantia de estabilidade ou prosperidade econômica.

Já no século XX, os marcos para o início do trabalho feminino fora do ambiente doméstico foram as duas Grandes Guerras Mundiais, entre 1914 e 1945, a partir das quais muitos homens se encaminharam para os confrontos e as mulheres precisavam assumir os negócios da família e o sustento do lar. Nessas guerras, muitos homens foram mortos ou mutilados, impossibilitando o retorno ao trabalho, fazendo com que as mulheres deixassem casa e filhos para dar continuidade a projetos de trabalho dos maridos ou buscar trabalho para o sustento do lar.

No período das guerras mundiais, também a educação dispensada às mulheres tinha como objetivo aproximá-las dos homens sem perturbar as antigas estruturas familiares. Eram reprovadas aquelas que desejavam explorar sua bagagem intelectual e se recusavam a se limitar ao modelo estabelecido. A opinião dominante era hostil com as mulheres que se dedicavam a estudos prolongados ou com as que buscavam fazer carreira.

# Profissional de alta performance

Com a consolidação do sistema capitalista no século XX, aconteceram inúmeras mudanças na produção e na organização do trabalho. Com o desenvolvimento tecnológico e o intenso crescimento da maquinaria, boa parte da mão de obra feminina foi transferida para as fábricas. Além das fábricas, nesse processo de inserção no mercado de trabalho, as mulheres foram ocupando alguns espaços anteriormente exclusivos aos homens. Concomitantemente com essas mudanças econômicas, também estavam acontecendo tensões em temas relativos à questão das mulheres junto aos núcleos familiares de pais cultos que produziam filhos detentores de diplomas universitários. Praticamente sem exceção, é dentro dos núcleos familiares diferenciados que surgiram as primeiras vozes femininas contrárias ao modelo existente. Assim, no século XX, o mundo do trabalho assistiu a alterações radicais com a inserção massiva das mulheres no mercado de trabalho, as mudanças na fertilidade e no envelhecimento da população, a migração e o acesso mais amplo à educação e à tecnologia. Essas mudanças também afetaram costumes, direitos e convenções importantes em relação às mulheres, acerca de aspectos da vida familiar e privada. Em vários países da Europa e aqui no Brasil, as mulheres conquistaram o direito ao voto. Essas mudanças por si só não mudaram de forma imediata a realidade das mulheres. Simone de Beauvoir escreveu, em 1949, que essas liberdades cívicas permanecem abstratas quando não são acompanhadas de autonomia econômica.

No Brasil, a partir dos anos 80, a inserção feminina no mercado de trabalho se intensificou com o aumento do trabalho formal, maior nível de informatização, diversidade de áreas de atuação feminina, incremento da competitividade e avanços tecnológicos: As mulheres também agregaram à sua trajetória maior conhecimento e escolaridade. Dados do IBGE em 2018 demonstram que as mulheres entre 25 a 44 anos com ensino superior completo representam 21,5% enquanto homens com essa mesma escolaridade são 15,6%. Esse fenômeno se repete na maioria das regiões do mundo. Também a partir desse período, a forte expansão dos postos de trabalho no setor público em muito contribuiu com a multiplicação das oportunidades de trabalho e carreira às mulheres, valorizando a formação escolar por meio da entrada ao mercado de trabalho pelo mérito da aprovação em processo seletivo. Dessa forma, observa-se que o ingresso das mulheres em ocupações de destaque tem sido resultado da convergência de vários fatores. A intensa transformação cultural, a partir do final dos anos 60, na esteira dos movimentos sociais e políticos, impulsionou as mulheres para as universidades, em busca de um projeto de vida profissional, e não apenas doméstico. Por outro lado, a racionalização e as transformações pelas quais passaram essas profissões abriram novas possibilidades para as mulheres que se formaram em carreiras até então ocupadas na maioria por homens, ampliando o leque profissional feminino para além dos redutos tradicionais. Vários autores reconhecem que a expansão do nível de escolaridade é o fator de maior impacto para o aumento da participação feminina no mercado de trabalho nas últimas décadas. Entende-se que o investimento das mulheres no aprimoramento profissional é determinante para que elas ultrapassem barreiras socioculturais e possam ocupar posições de destaque no cenário de trabalho.

Dados indicam que atualmente as mulheres ocupam 40% dos postos de trabalho no mundo e também são donas e administram mais de 30% de todas as empresas, desde trabalhadoras autônomas e microempresas, até pequenas, médias e grandes empresas. Essa inserção é conquista feminina e fruto da necessidade econômica de contribuir com o orçamento familiar, do aumento da escolaridade das mulheres e da redução das barreiras culturais para o seu ingresso no mercado de trabalho. Além disso, ocorreram grandes mudanças na divisão tradicional de família durante o século XX, embora ainda haja a permanência da atribuição das atividades domésticas prioritariamente para as mulheres. Em países de tradição cultural machista como o Brasil, o avanço da participação da mulher no mercado de trabalho ainda não foi capaz de traduzir em significativa divisão de responsabilidades acerca das atribuições domésticas e com os filhos. O trabalho assalariado e o trabalho doméstico, juntos, ocupam grande parte do tempo feminino. O acúmulo das responsabilidades e exigências domésticas, sem a devida divisão com os demais membros da família, compromete os avanços femininos em relação à autonomia e emancipação.

Ainda, os cargos que permeiam o topo das hierarquias, como aqueles de gestão e lideranças de equipes, e tomadas de decisão tradicionalmente consideradas de domínio masculino continuam a ter forte influência dos padrões e políticas de contratação e promoção das instituições. Esse contexto é corroborado pelo relatório da OIT, que demonstra que mesmo com o aumento do número de mulheres em cargos de gestão, tanto na iniciativa pública como privada, esses números ficam próximos entre os gêneros apenas nos níveis inferiores e medianos da hierarquia. Ainda de acordo com a OIT, a escassez de mulheres em postos de máxima responsabilidade é ainda mais relevante na política, em que as mulheres representavam 21,9% dos parlamentares do mundo e, nesse mesmo período, apenas 18 eram chefes de Estado em nações ao redor do planeta. No Brasil, observa-se a mesma situação.

Segundo o The Global Gender Gap Report 2016 do Fórum Econômico Mundial, apesar do fato de, em 95 países, as mulheres terem frequentado a universidade em números iguais ou superiores aos dos homens, ainda se identificam desequilíbrios crônicos em relação aos salários e na participação na força de trabalho.

Mesmo com suas dificuldades, o trabalho tem papel prioritário e fundamental na emancipação e bem-estar das mulheres. Como diz Simone de Beauvoir, foi pelo trabalho que a mulher cobriu em grande parte a distância que a separava do homem; só o trabalho pode assegurar-lhe uma liberdade concreta.

O trabalho em posições diferenciadas possibilita às mulheres maior independência financeira, reconhecimento profissional e social. As mulheres que alcançaram a experiência de ocupar postos diferenciados se situam em uma fronteira simbólica, demarcando um espaço social muitas vezes pioneiro, ocupando lugares diferenciados dentro e fora do lar.

Estudos demonstram que as mulheres possuem competências que diferenciam o estilo de gestão feminina com a capacidade de multiprocessamento de informações e situações, que ajudam a ter uma visão mais sistêmica e não sequencial da realidade, e também maior flexibilidade e habilidade de enxergar as pessoas como um todo. Por sua vez, o trabalho está ligado ao crescimento da subjetividade, do bem-estar e da transformação de si mesmo. É um fator equilibrante, um mediador privilegiado do meio social, acesso à cidadania e identidade psicológica.

### Construindo uma mulher de alta performance

Mesmo diante de tantos desafios, muitas mulheres têm construído trajetórias profissionais dignas de orgulho e inspiração para as demais. Os espaços formais e informais, fora do ambiente doméstico, contribuíram com a aceleração de posições de emancipação e reconhecimento das mulheres.

Percebe-se que mulheres com trajetórias diferenciadas possuem características que em muitos momentos se repetem, tanto nos padrões de comportamento bem como nas necessidades pessoais, familiares e sociais. Pesquisa realizada com mulheres em cargos de gestão demostrou aspectos e alterativas usadas pela grande maioria das mulheres para superação de dificuldades, construção de carreira e ascensão para posições superiores. Dentre esses padrões está o investimento em formação e desenvolvimento, através de educação e aprendizagem continuada. As formas de aprendizagem incluem educação formal e outras formas de atualização e desenvolvimento constante. Outro comportamento encontrado entre as mulheres foi o cuidado com sua saúde física e emocional. Mesmo com relatos de muitas dificuldades para conciliar tempo, energia, necessidades familiares e profissionais, demonstram relevância as buscas por alternativas para alívio de estresse e estabilidade emocional. A maioria das mulheres entrevistadas relataram práticas para enfrentamento das demandas e pressões do trabalho, que incluem psicoterapia, terapias integrativas, atividades físicas, meditação, uso de fitoterápicos e atividades de lazer e com a família. Essa é uma estratégia relevante, pois nosso corpo físico é o único veículo possível para a realização dos projetos pessoais e profissionais. Ao longo da vida, podemos mudar de casa, trabalho, cidade, país, carro quantas vezes quisermos ou que a vida nos permitir. Podemos habitar uma casa maior ou menor, mais simples ou mais luxuosa, mas não podemos habitar em outro corpo físico. Nosso corpo, seu cuidado, sua saúde e seu bem-estar dependem em grande parte das decisões tomadas a cada momento. Por mais que alguns eventos e doenças até possam não estar em nossas mãos, decidir ter um peso saudável, ingerir alimentos que promovem vitalidade, incluir na rotina atividades físicas e cultivar bons hábitos dependem de nós. As ciências da saúde têm avançado muito, facilitando em muitos momentos o entendimento para boas decisões de saúde e bem-estar. Nosso corpo está em constante renovação, respondendo positivamente aos estímulos agregadores de saúde e bem-estar e respondendo negativamente aos estímulos que não contribuem com uma vida saudável. Ter constância de boas decisões na saúde, estudos, profissão, família, finanças, emoções, mesmo não sendo tarefa fácil, com disciplina, e somadas, contribuirão significativamente para um resultado mais favorável.

Outra decisão importante para a mulher alcançar lugares diferenciados: controlar a tendência ao perfeccionismo. O comportamento perfeccionista e situações idealizadas acometem muitas mulheres, gerando demandas por vezes insustentáveis. É muito difícil ser uma mãe perfeita, uma esposa perfeita, ter corpo perfeito, ser uma profissional perfeita, uma amante perfeita, e todas as demais perfeições, e ainda assim ser feliz. Isso tudo não cabe numa vida só. Esse perfeccionismo, aliado à capacidade "multitarefa" das mulheres, resulta em desgaste e esgotamento físico e mental. Comparo a habilidade de fazer muitas coisas ao mesmo tempo com um "superpoder", que realmente está disponível para ser usado em momentos absolutamente necessários. Ao usar isso demasiadamente, as mulheres pagam um preço físico e emocional gigantesco. Buscar equilíbrio entre o melhor a ser feito e o possível, junto com o bem-estar físico e emocional, é uma tarefa importante. Alto desempenho e bons resultados nas áreas pessoal e profissional são resultado de um conjunto de boas decisões tomadas ao longo de um grande período, mesmo com quedas e tropeços, recomeçando sempre.

**Referências**
BADINTER, E. *Um amor conquistado: o mito do amor materno*. Rio de Janeiro: Nova Fronteira, 1985.
BEAUVOIR, Simone de. *O segundo sexo*. 2. ed. Rio de Janeiro: Nova Fronteira, 2009. 2 v.
BIASOLI, P. K. *Mulheres em cargos de gestão: dificuldades vinculadas ao gênero*. Revista Indicadores Econômicos FEE, Porto Alegre, v. 43, n. 3, p. 125-140, 2016.
BRUSCHINI, M. C. A. *Trabalho e gênero no Brasil nos últimos dez anos*. Cadernos de Pesquisa, São Paulo, v. 37, n. 132, p. 537-572, dez.,2007.
CARVALHO NETO, A. M.; TANURE, B.; ANDRADE, J. *Executivas: carreira, maternidade, amores e preconceitos*. Revista de Administração de Empresas, São Paulo, v. 9, n. 1, jan./jun., 2010.
DALONSO, Glaucia de Lima. *Trabalhadoras brasileiras e a relação com o trabalho: trajetórias e travessias*. Psicol. Am. Lat., México , n. 15, dez., 2008.
DEJOURS, C. *Sexualidade e Trabalho. Trabalho Vivo, tomo I*. Brasília: Paralelo 15, 2012.
DEJOURS, C. *Trabalho e saúde mental: da pesquisa à ação*. In: ____; ABDOUCHELI, E.; JAYET, C. *Psicodinâmica do trabalho: contribuições da escola dejouriana à análise da relação prazer, sofrimento e trabalho*. 1. ed. 16. reimpr. São Paulo: Atlas, 2015.
ENGELS, F. *A origem da família, da propriedade e do estado*. 4. ed. Lisboa: Presença, 2012.
FLEURY, M. T. L. *Liderança Feminina no Mercado de Trabalho*. GV Executivo, São Paulo, v. 12, n. 1, jan./jun., 2013.
LAVINAS, L.; VEIGA, A.; GUERREIRO, M. *Estratégias femininas para conciliar trabalho remunerado e trabalho doméstico no século XXI*. Revista da ABET, São Paulo, v. 10, n. 2, p. 56-79, jul./dez., 2011.
MINAYO,GOMES, C. (Org.). *Saúde do trabalhador na sociedade contemporânea*. Rio de Janeiro: Editora Fiocruz, 2011.
MURARO, R. M. *A mulher no terceiro milênio*. 2. ed. Rio de Janeiro: Rosa dos Tempos, 1992.
OIT – Organização Internacional do Trabalho. *La mujer en la gestión empresarial: cobrando impulso*. Genebra: Oficina Internacional del Trabajo, 2015.
PINTO, C. R. J. *Uma história do feminismo no Brasil*. São Paulo: Fundação Perseu Abramo, 2003.
SAFFIOTI, H. *A mulher na sociedade de classes*. 3. ed. São Paulo: Expressão Popular, 2013.
TREBIEN, V.M. *Mulheres na gestão no ensino superior: prazer e sofrimento sob a ótica da Psicodinâmica do Trabalho*, 2018. 113p.
WEF – World Economic Forum. The Global Gender Gap Report 2016. Geneva: WEF, 2016.

## Capítulo 35

### Assinatura de forças de caráter

**Vânia Lucia Simieli**

Eu me visto com minha bravura e com a minha integridade, busco meus sentimentos com a curiosidade de quem nada sabe e com o humor de quem vê a vida com leveza, tendo a certeza e a esperança de que meu futuro eu decido.

## Vânia Lucia Simieli

CEO da Simieli Desenvolvimento Humano, que tem como propósito maior desenvolver uma gestão humanizada com resultados sustentáveis, inspirando pessoas e despertando o desejo e o encontro com o equilíbrio, para que a felicidade genuína seja vivenciada tanto no mundo individual quanto no corporativo. *Personal, Business, Executive* e *Positive Coach* pela Sociedade Brasileira de Coaching, habilitada e licenciada em Análise Comportamental pela TTi Success Insights Brasil. Formação Internacional de *Practitioner* em Programação Neurolinguística – American Board of Neuro-Linguistic Programming (ABNLP - USA). Pós-graduação em Psicologia Positiva e Desenvolvimento Humano pelo Ipog. Bagagem profissional com mais de 20 anos de experiência em gestão comercial, liderança e administração.

**Contatos**
www.simielidh.com.br
vania@simieli.com.br
LinkedIn: https://bit.ly/37KBzyH
(11) 98181-0320

A Assinatura de Forças de Caráter tem como objetivo principal imprimir no mundo quem você é, como também instrumentá-lo para o dia a dia e suas adversidades.
Nosso método de trabalho está baseado em estudos comprovados cientificamente, como demonstrado no decorrer deste capítulo, surgiu diante do desejo, da urgência e do crescimento de executivos, líderes e empreendedores que buscam uma vida de resultados alinhados com o bem-estar, a criação e o desenvolvimento de instituições mais positivas - como família, trabalho, círculo social etc.

**Esse desejo pode ser sua realidade!**

Através da nossa metodologia, contribuímos para a compreensão da maneira como se comporta na vida, desenvolvemos técnicas que promovem o equilíbrio da utilização de cada força e no estímulo do que falta, para que conquiste seus objetivos e continue a viagem em direção ao seu propósito.

Nosso trabalho entrega um roteiro em que é possível planejar a jornada, respeitando a singularidade e a historicidade de cada um, pois sabemos que o mundo, a velocidade das informações, a expectativa de vida e o jeito de se comportar mudaram, sendo assim, também será necessário alterar o modo antigo de agir.

Nesse cenário, a pergunta que podemos fazer é: a fim de acompanharmos essas mudanças, como podemos nos aperfeiçoar, diante de tudo o que se apresenta como solução?

Viktor Frankl diz, em sua obra *Em busca de sentido*: "Pode-se tirar tudo de alguém, menos a liberdade de escolher como reagir às circunstâncias – e dar sentido a elas."

A primeira atitude a ser tomada em um momento de decisão é saber quem você é e como é o seu funcionamento, ou seja, entender o que fortalece você e quais são suas fraquezas para que, depois disso, possa iniciar um processo de mudança que o aproxime e guie na direção de seus desejos e sonhos, e que, com certeza, fará você sentir orgulho de ser quem é.

Gosto de chamar esse caminho de viagem, a mágica e espetacular viagem rumo a quem podemos ser!

Somos um "ser integral": temos forças e fraquezas, circulamos muitas vezes durante o dia entre nossas floridas varandas e os sombrios porões, e às vezes nem percebemos. De uma vez por todas, será necessário integrar e reconhecer, em um só ser, as inúmeras facetas que existem dentro de si e, com elas, transformar a vida e o mundo ao nosso redor.

A felicidade existe e isso não significa ausência de problemas, dores, infortúnios ou fracassos.

A felicidade é possível, por meio da tomada de consciência e do desenvolvimento de cada ser humano, da habilidade de evitar excessos, de controlar os danos e de assumir responsabilidade com as atitudes corretas, mesmo que, às vezes, possa ser a decisão mais difícil. Cada um de nós poderá impactar e transformar essa viagem na melhor jornada que se possa ter o privilégio de experimentar.

Ser um profissional de alta *performance* significa viver uma vida equilibrada, em que as relações profissionais e pessoais extrapolam a análise de relatórios e indicadores, que mostram apenas um comparativo entre resultado e meta.

É comprovada, pela Psicologia Positiva e pela Neurociência, a importância do desenvolvimento das emoções positivas e o quanto isso impacta nas instituições a que pertencemos. O reconhecimento de nossas forças e talentos (foco da Psicologia Positiva) aumenta em 9% nossa *performance*, e a utilização dessas forças e talentos, com consciência e objetividade, aprimora a *performance* em 28%. Resumindo: temos um potencial interno guardado e, por vezes, desperdiçado.

> A Psicologia Positiva leva a sério a esperança de que, caso você se veja preso no estacionamento da vida, com prazeres poucos e efêmeros, raras gratificações e nenhum significado, existe uma saída. Esta saída passa pelos campos do prazer e da gratificação, segue pelos planaltos da força e da virtude e, finalmente, alcança os picos da realização duradoura: significado e propósito.
> (*Felicidade Autêntica*, Martin E. P. Seligman, PHD)

A Psicologia Positiva tem como objetivo colocar uma lanterna no que Aristóteles chamava de "vida boa" e, para isso, a ciência procura entender as emoções positivas, o reconhecimento e desenvolvimento das forças de caráter.

Quando falamos de profissionais de alta *performance*, existe um longo caminho a percorrer, uma vez que nossa cultura sempre elegeu, como seus principais líderes, pessoas de personalidade austera, firme e com foco total no resultado.

É inegável que esse estilo de liderança gera resultados, porém, já percebemos que, no longo prazo, os índices não se sustentam. Esse modelo de liderança foi, inclusive, um dos fatores que levaram o estresse, desequilíbrio e a depressão ao topo da lista do absenteísmo nas corporações.

Excelentes profissionais começaram a quebrar emocionalmente, deixaram para trás uma carreira promissora para morarem no campo, largaram pela metade sonhos que, por muito tempo, os fizeram levantar e desbravar o mundo. Identifica-se um tempo de movimento pendular muito forte: ou se é um excelente profissional ou uma excelente pessoa, e isso não é saudável. Somos um ser integrado e só assim seremos excelentes na essência.

Estudos apontam uma necessidade cada vez maior de descobrir, entender e buscar viver conectado com seu propósito de vida. Isso significa entender como colocar essa nova consciência nos papéis desempenhados, esse é o começo de uma trilha que proporciona o bem-estar, a satisfação, o entendimento da felicidade. É o caminho para a plenitude.

Qual a razão de viver? O que faz acordar todos os dias?

Para responder a essas perguntas, é preciso descobrir qual a ligação entre fazer o que ama, saber o papel social que exerce, as funções que executa e as habilidades que possui. Um profissional de alta *performance* vê sentido nas tarefas que precisam ser feitas para viver sua vocação, seu propósito, sabe o que faz e para quê.

Um dos caminhos que a Psicologia Positiva apresenta é identificar as Forças de Caráter, para que se possa utilizá-las diariamente, com consciência e objetivo.

A utilização das forças pessoais e o desenvolvimento de emoções positivas, bem como a construção das instituições positivas, poderão proporcionar o tão desejado estado de *flow* (experiência de fluxo), lembrando que o mesmo não acontece 24 horas por dia, mas pode estar presente e ser identificado em muitos momentos do cotidiano.

As forças pessoais são diferentes de talentos, pois esses são inatos. Quando falamos de forças pessoais, percebemos que elas também carregam traços morais, e podem ser desenvolvidas mesmo a partir de bases pequenas. O fator determinante para isso é a força de vontade ou necessidade individual.

Historicamente, as corporações trabalharam no desenvolvimento técnico e de competências, com o objetivo de atingirem melhores resultados, ignorando as características pessoais de sua equipe, pois acreditava-se que a demanda a ser atendida não tinha ligação com características individuais.

Em 1999, o Dr. Martin Seligman e o Dr. Christopher Peterson iniciaram, com uma equipe de mais de cinquenta acadêmicos, um significativo estudo com o objetivo de compreender o que há de melhor no ser humano e como construir vidas saudáveis e plenas, influenciando também no desenvolvimento das relações e tudo o que isso envolve.

Em 2004, o projeto nos presenteou com: Manual de Forças de Caráter e Virtudes; questionário que possibilita mensurar as forças individuais; criação do Instituto VIA, para alavancar a ciência e sua aplicação.

O VIA Institute on Character é uma organização sem fins lucrativos, com sede em Cincinnati, Ohio-EUA, dedicada a levar a ciência das Forças de Caráter ao mundo, apoiando, criando e validando pesquisas de caráter e desenvolvendo ferramentas práticas para indivíduos e profissionais.

Saber quais as forças de caráter e em que virtudes estão distribuídas é o primeiro passo para construir as Forças de Assinatura e abrir um leque de possibilidades a serem desenvolvidas, gerando uma consciência do processo que transforma uma força "superutilizada" em uma fraqueza.

Abaixo, a Classificação VIA das Forças de Caráter e Virtudes:

**Virtude sabedoria:** forças cognitivas que envolvem a aquisição e a utilização de conhecimento.

- Criatividade;
- Curiosidade;
- Senso crítico;
- Amor ao aprendizado;
- Perspectiva.

**Virtude coragem:** forças emocionais que envolvem o exercício da vontade para alcançar metas, perante oposições, tanto externas quanto internas.

- Honestidade;
- Bravura;
- Perseverança;
- Entusiasmo.

**Virtude humanidade:** forças interpessoais que envolvem "ajudar e aproximar-se" de outros.

- Bondade;
- Amor;
- Inteligência social.

**Virtude justiça:** forças cívicas que fundamentam a vida comunitária saudável.

- Imparcialidade;
- Liderança;
- Trabalho em equipe.

**Virtude temperança:** forças que protegem contra excessos.

- Perdão;
- Humildade;
- Prudência;
- Autocontrole.

**Virtude transcendência:** forças que estabelecem conexões com o universo maior e fornecem significado.

- Apreciação à beleza;
- Gratidão;
- Esperança;
- Humor;
- Espiritualidade.

Por meio de nossas forças, acreditamos que conseguimos chegar a resultados extraordinários e temos a possibilidade de sustentá-los a longo prazo com menos esforço. Vale lembrar: o desenvolvimento das Forças de Caráter exige, em primeiro lugar, a decisão e a escolha.

Se você iniciou a leitura deste livro, com certeza se interessou pelo tema e está disposto a se tornar uma pessoa de excelência, portanto, este é o momento de relembrar a base dos conceitos que irão facilitar e permitir a sua viagem.

Saiba quem é e invista no seu autodesenvolvimento, pois nenhuma mudança se sustenta sem você mesmo. Descubra quais são suas forças respondendo ao questionário disponível no link abaixo:

https://www.viacharacter.org/survey/pro/simielidh/Account/Register

Agora que já sabe suas potencialidades... Feche os olhos por alguns instantes e comece a projetar mentalmente a fotografia que mostra quem você é e quem você quer ser.

Pense como se fosse um grande voo em um avião potente, repleto de recursos e possibilidades.

Você sobrevoará o mundo, pousará onde quiser e pelo tempo que desejar, passará por turbulências, algumas bem fortes e, por esse motivo, será necessário dominar a máquina que pilota, a rota traçada e o mapa mental à sua disposição. Munido de todas as potencialidades, decidirá a altura e a velocidade do seu voo.

Voe. Voe alto! Voe por onde quiser! O momento é agora! O mundo é seu!

**Referências**
NIEMIEC, Ryan M. *Intervenções com Forças de Caráter*. Tradução Gilmara Ebers. Editora Vida Integral.
SELIGMAN, Martin E.P. *Felicidade Autêntica*. Tradução Neuza Capelo, 8ª reimpressão, Editora Objetiva.